WALLACE D. WATTLES

# SHKENCA
# E PASURIMIT

## SI TË BËHESH
## I PASUR E
## I SUKSESSHËM
## PËRMES
## MENDIMIT
## KRIJUES

RL BOOKS

2021

*Original title*
WALLACE D. WATTLES
THE SCIENCE OF GETTING RICH

*Original publication*
ELIZABETH TOWNE
HOLYOKE, MASS. 1910

*Copyright of this translation*
DRITAN KIÇI. 2021


Wattles, Wallace D.
Shkenca e pasurimit / Wallace D. Wattles ;
përkth. Dritan Kiçi ; red. Ornela Musabelliu.
– Tiranë : RL Books, 2021
104 f. ; 127x203 cm.
Tit. origj.: The science of getting rich
ISBN 978-9928-324-20-7

1.Suksesi    2.Pasuria

17 .024.4 -058.32

**RL** BOOKS
www.rlbooks.eu
admin@rlbooks.eu

Brussels 2021

# PËRMBLEDHJE

# Rreth këtij libri

Kur has një libër me një titull si "Shkenca e Pasurimit", mund të të lindë dyshimi se është një manual lakmie nga një autor me motive jo fort të besueshme. Megjithatë duhet të kesh parasysh se ky libër klasik i Wattles është në thelb një vepër metafizike, por që merret me një çështje tepër tokësore.

Përqasja moniste ndaj universit, në të cilën bazohet libri, thotë se gjithçka në univers është e lidhur dhe pjesë e tërësisë. Kjo është baza e filozofisë dhe feve orientale, si dhe themeli i filozofisë së Deskartit, Spinozës, Leibnicit, Shopenhauerit, Hegelit dhe Emersonit, filozofë që autori i studioi për vite. Kjo filozofi është gjithashtu baza e besimit të kishave të Mendimit të Ri, që anashkalojnë dogmat në favor të përmirësimit të njeriut. Ndërsa doktrina tradicionale e krishtere lidh shpirtëroren me varfërinë, feja e Wallace Wattles thekson natyrshmërinë e bollëkut. Autori e sheh fundin logjik të kësaj përsiatjeje në konkluzionin se një person nuk mund ta përmbushë vërtet potencialin e tij pa mjete të bollshme financiare; në fakt, evolucioni i botës varet nga secili prej nesh, që kërkojmë pasuri në mënyrë të ndershme.

Ta shohim më tej këtë vepër të shkurtër, por intriguese dhe një nga klasikët e hershëm të prosperitetit, të shekullit XX.

# BURIMI

*Kush është burimi i pasurisë? Gjithë shkrimtarët e mëdhenj të prosperitetit thonë se origjina e pasurisë është mendim e jo sende, gjëra. Napoleon Hill e quan këtë burim "Inteligjencë e Pafundme", Deepak Chopra e emërtoi "fusha e potencialit të pastër" dhe Wattles me Catherine Ponder e përkufizojnë si "Substancë" lëndën e paformë, nga e cila buron gjithë materia.*

*A mund të vijë bollëku nga "asgjëja"? Tomas Edisoni, shpikësi i madh, thotë: "Idetë vijnë nga hapësira. Kjo mund të duket mahnitëse dhe e pabesueshme, por është e vërtetë. Idetë vijnë nga hapësira.". Ky koment gjendet në librin "Magjia e besimit", autori i të cilit, Claude Bristol, shkruan: "Me siguri, Edisoni ka ditur diçka, sepse pak burra si ai kanë marrë apo dhënë më shumë ide".*

*Baza e shkencës së Wattles është  nocioni se nëse projekton qëllimisht një mendim të qartë në Substancën e Paformë, do gjejë patjetër shprehje materiale. Përmes vizualizimit të asaj që dëshiron e me një përsëritje të rregullt, gjëja do të vijë në jetë përmes organizimit në rrugët ekzistuese të prodhimit. Ky është shtegu i fshehtë i shkurtër për të fituar atë që të nevojitet.*

*Megjithatë, përgjatë historisë, njeriu ka ndjekur rrugën e kundërt e është përpjekur të krijojë gjëra vetëm nga materialet ekzistuese, me përdorimin e mendimit veç përmes punës manuale. "Sapo kemi nisur të veprojmë si bën Zoti, i cili, në fund të fundit, krijon vazhdimisht diçka nga asgjëja",* *vëren Wattles. "Përmes shkencës së mendjes, tani* *po shohim se mund t'i 'bëjmë' gjërat më lehtë dhe* *me përsosmëri, duke projektuar së pari idenë e* *tyre mbi Substancën e Paformë.*

*Nëse e pranon se gjithçka vjen nga diçka* *jomateriale, mënyra se si jeton dhe vepron është* *ndryshe nga dikush që beson se baza e gjithçkaje* *është materia. Në fjalët e Wattles:*

*"Të mendosh shëndet kur rrethohesh nga* *pamjet e sëmundjes ose të mendosh pasuri* *kur rrethohesh nga pamjet e varfërisë, kërkon* *fuqi dhe ajo mendje që e fiton këtë fuqi bëhet* *mjeshtërore. Mund të pushtojë fatin e të ketë atë* *që dëshiron.".*

## RRITJA

*Natyra kërkon gjithmonë shprehje dhe rritje;* *ky është i vetmi fakt i besueshëm i universit, që* *kërkon sofistikim dhe përsosje më të madhe e, me* *pak fjalë, përparim. Ndaj, Wattles argumenton* *se "nuk mund të mungojë asgjë, sepse, nëse është* *kështu, Zoti do të kundërshtojë veten dhe do të* *anulojë veprat e tij.". Është e natyrshme të duam* *më shumë dhe dëshira për të qenë të pasur duhet* *të kuptohet në kontekstin e rritjes organike dhe* *progresit.*

*Por kujdes: ajo që kërkon duhet të jetë në* *harmoni me universin. Duhet të shërbejë për* *të çuar më tej shprehjen e plotë e jo vetëm për ngazëllim e argëtim. "Nuk duhet të pasurohesh që të jetosh pa mend, për plotësimin e dëshirave kafshërore; kjo nuk është jeta. Duhet të dëshirosh pasuri që të mund të ndjekësh atë që të pëlqen dhe të zhvillosh mendjen, të udhëtosh, të rrethohesh me bukuri dhe të jesh në gjendje të japësh bujarisht. Siç është e gabuar të jesh jashtëzakonisht egoist, në ekstremin tjetër nuk është e urtë të sakrifikosh veten më shumë se ç'duhet. Zoti të bëri të përfitosh sa më shumë nga vetja, që, për pasojë, të bën më të vlefshëm për të tjerët", thotë Wattles.*

## KRIJIM, JO KONKURRENCË

*Autori na kujton se Substanca që krijon universin nuk zgjedh se kë do favorizojë; fuqia e saj është e hapur për të gjithë dhe rrjedha e pasurisë është e pafund. Nuk duhet të kesh frikë nga ajo që do 'marrësh' - "Nuk të duhen pazare të forta dhe nuk ka kuptim të përpiqesh t'u heqësh gjërat të tjerëve".*

*Kjo është konkurrenca, që nuk pasqyron realitetin e një universi të bollshëm. Ideja e konkurrencës qëndron në besimin se çdo gjë është e kufizuar, ndërsa krijimi mbështetet në nocionin që pasuritë janë të pafundme. Duhet të bëhesh krijues e jo konkurrues.*

*Por, ç'mund të thuhet për gjithë ata që janë pasuruar në planin konkurrues? "Këta janë si dinozaurët e epokave prehistorike", thotë Wattles, sepse janë pjesë thelbësore e një procesi evolucionar të organizimit të prodhimit, por pa dyshim do rrëzohen nga e njëjta logjikë e konkurrencës që i nxori në plan të parë. Pasuritë e tyre nuk janë as të kënaqshme për veten e as të qëndrueshme në një kuptim më të gjerë shoqëror.*

*Ki parasysh se të tjerët nuk mund të 'të mposhtin' nëse krijon diçka unike nga imagjinata, aftësitë dhe përvoja që përbëjnë personalitetin tënd. "Të mëdhenjtë" nuk mund të të pengojnë mirëqenien nëse ndjek rrugën tënde drejt saj. Këshilla e mëtejshme e Wattles për prosperitetin në botën reale është se duhet të përpiqesh t'i ofrosh blerësit atë që i nevojitet dhe është më e madhe në vlerë përdorimi sesa çmimi që ai ka paguar për të. Jepi më shumë nga sa premton.*

## MIRËNJOHJE NË HARMONI

*Shumë njerëz dëshmojnë se mënyra më e mirë për të tërhequr diçka drejt vetes është të falënderosh sikur e ke tashmë. Meqenëse natyra e universit është bollëku, ai shpërblen ata që janë të vetëdijshëm në mënyrë aktive dhe mirënjohës për këtë fakt.*

*Kur je në unison me burimin që krijon gjithçka, është e natyrshme që do të të sigurojë ato që të duhen. Mirënjohja do të të ndalojë të biesh në planin e mendimit konkurrues dhe do të të bëjë të kuptosh bekimet që tashmë i ke. Wattles u referohet fjalëve të Biblës, "Afrojuni Zotit dhe Ai do t'ju afrohet", si një deklaratë e faktit, sepse falënderimet nuk mund të mos bëjnë "dhënësin" dhe ta frymëzojnë të të japë më shumë.*

*Më tej autori këshillon të mos e kalosh kohën me ankesa për botën, duke luftuar manjatët e politikanët. Këta njerëz janë pjesë e evolucionit të Tokës dhe veprimet e tyre të lejojnë të ndjekësh fizikisht mundësitë, në mënyrë efikase dhe në paqe. Në vend të kësaj kultivo mirënjohje: "Mendja mirënjohëse është vazhdimisht e drejtuar tek e mira; tenton të marrë formën e më të mirës dhe merr formën ose karakterin e më të mirës.".*

*Kurrë mos fol për problemet financiare të së kaluarës. "Nëse do të bëhesh i pasur, nuk duhet të studiosh varfërinë". Mos u shqetëso se si krijohet apo mbahet varfëria edhe nëse ke interes në skamjen e botës së tretë; shiko veç atë që sjell pasuri. Të varfrit kanë më shumë nevojë për frymëzim sesa bamirësi. Duhet të përpiqesh t'u tregosh rrugën drejt pasurisë e jo t'ua "zbutësh varfërinë".*

## SI PËRFUNDIM

*Duhet shtruar pyetja: pse kërkon të jesh i pasur? Shumë thonë se duhet të duam më pak, me një standard jetese me më pak ndikim mbi botën. Kjo, pa dyshim, është e vërtetë, por nuk arrin të marrë parasysh natyrën njerëzore. Një burrë apo një grua është thjesht një përmbledhje aspiratash?*

*Dëshira është motori që drejton botën dhe pa*

*pasuri gjithnjë në rritje do të kishte një hendek të mjerueshëm midis asaj që kërkohet dhe asaj që mund të blihet. Natyra e jetës është rritja dhe shumimi, kështu që do ishte në kundërshtim me vetë natyrën të kufizonte dëshirën për më shumë.*

*Është gjithashtu fakt se nuk mund të kërkosh lartësim në jetë nëse të duhet të luftosh për gjërat themelore. "Madhështia morale dhe shpirtërore është e mundur vetëm për ata që janë mbi betejën konkurruese për ekzistencë", thotë autori. Nuk do ndjekësh dot atë që të magjeps ose nuk do përmbushësh potencialin tënd intelektual nëse nuk ke para për të blerë libra apo kohë të lirë që t'i lexosh. Është gjithashtu shumë më e lehtë të kesh një këndvështrim pozitiv të jetës kur je në gjendje të rrethosh veten me sende të bukura. Dhe jo më pak e rëndësishmja: që të jetojë shpirtërisht një qenie njerëzore duhet të ketë dashuri dhe është e vështirë të duash kur je i varfër.*

*Në shekullin XXI dukemi shumë më të hapur ndaj idesë se shpirtërorja dhe pasuria shkojnë përkrah. Për këtë duhet të falënderojmë pjesërisht pionierët e vetëdijes së prosperitetit, të cilët na kanë hequr nga ndërgjegjja ndjenjën e fajit për dëshirën për pasuri.*

*Dikush mund t'i qeshë si naive e të çuditshme parimet e Shkencës së Pasurimit, por, në të vërtetë, kjo teori ishte shumë para kohës së vet. Pavarësisht gjuhës së saj mistike është thellësisht praktike.*

*Përkthyer e përshtatur nga: 50 Success Classics: Your Shortcut to the Most Important Ideas on Motivation, Achievement, and Prosperity (botuar nga Nicholas Brealey/Hachette, London & Boston)*

# PARATHËNIE

*Ky libër është pragmatik, jo filozofik; është
një manual praktik, jo një traktat mbi teorinë.
U drejtohet burrave dhe grave me nevoja të
ngutshme për para; që dëshirojnë të pasurohen
së pari dhe të filozofojnë më pas. Është për ata
që deri tani nuk kanë gjetur kohën, mjetet dhe
as mundësinë për t'u thelluar në studimin e
metafizikës, por që duan rezultate e që janë gati
të marrin konkluzionet e shkencës si bazë për
veprim, pa hyrë thellë në hulumtimin e të gjitha
proceseve nga të cilat kanë dalë këto konkluzione.*

*Kërkohet që lexuesi t'i marrë me besim parimet
themelore të dhëna këtu, ashtu siç do t'i merrte
parimet në lidhje me ligjet e veprimit elektrik,
nëse ky do të shpallej nga Markoni[1] apo Edisoni[2];
dhe, duke marrë parimet me besim, do të provojë
të vërtetën e tyre duke vepruar pa frikë dhe
hezitim. Çdo burrë apo grua që do e bëjë këtë,
do pasurohet patjetër, sepse shkenca e zbatuar
këtu është ekzakte, ndërsa dështimi i pamundur.*

---

1 *Guglielmo Marchese Marconi (25/04/1874 –
20/07/1937), fizikant dhe inxhinier elektrik, pionier i
telekomunikacionit*
2 *Thomas Alva Edison (11/02/1847 – 18/10/1931)
shpikës amerikan, shkencëtar dhe biznesmen.*

Sidoqoftë, në përfitim të atyre që dëshirojnë të hetojnë teoritë filozofike dhe të sigurojnë një bazë logjike mbi besimin, do të citoj edhe autoritete të caktuara.

Teoria moniste e universit se "Një është Gjithçka dhe Gjithçka është Një" dhe që Kjo Substancë manifestohet si shumë elemente në dukje në botën materiale, është me origjinë Hindiane dhe ka fituar gradualisht përkrahje në mendimin e botës perëndimore këto dyqind vjetët e fundit. Është themeli i të gjitha filozofive orientale, si dhe i atyre të Dekartit, Spinozës, Leibnitzit, Shopenhauerit, Hegelit dhe Emersonit. Lexuesi që dëshiron të gërmojë bazat filozofike të kësaj, këshillohet të lexojë Hegelin dhe Emersonin⁴.

Në shkrimin e këtij libër kam sakrifikuar shumë nga elementet retorike në favor të thjeshtësisë së stilit, që ta kuptojnë të gjithë. Plani i veprimit i paraqitur këtu u nxor nga përfundimet e filozofisë dhe është testuar plotësisht, dhe mban provën supreme të eksperimentit praktik: FUNKSIONON! Nëse dëshiron të dish se si janë arritur këto konkluzione, lexo autorët e përmendur më lart, por nëse do të korrësh frytet e filozofive të tyre në praktikë, lexo këtë libër dhe bëj ashtu siç të thotë.

Autori

---

3 Lëvizje fetare që paraqet unifikimin e zotit me gjithësinë.

4 Filozofë, themelues të filozofisë moderne.

# KREU 1
# E DREJTA TË JESH I PASUR

**M**e gjithë sa mund të thuhet në lëvdim të varfërisë, fakti mbetet se është e pamundur të jetosh një jetë me të vërtetë të plotë e të suksesshme nëse nuk je i pasur. Askush nuk mund të kapë lartësinë e tij më të madhe të mundshme, në zhvillimin e talentit ose shpirtit, nëse nuk ka para sa duhet. Për të shpalosur shpirtin e për të zhvilluar talentin njeriu duhet të ketë plot gjëra në përdorim dhe këto nuk mund t'i ketë nëse nuk ka para që t'i blejë.

Njeriu zhvillon mendjen, shpirtin dhe trupin duke përdorur gjëra dhe shoqëria është e organizuar në atë formë që i duhet të ketë para që të bëhet zotëruese e këtyre gjërave, ndaj baza e gjithë përparimit për njeriun duhet të jetë shkenca e pasurimit.

Objekti i jetës është zhvillimi dhe gjithçka që jeton ka një të drejtë të patjetërsueshme për gjithë zhvillimin që është i/e aftë të arrijë. E drejta e njeriut për jetën do të thotë e drejta e tij për të pasur përdorim të lirë e të pakufizuar të të gjitha gjërave që mund t'i nevojiten për shpalosjen më të plotë mendore, shpirtërore dhe fizike ose, me fjalë të tjera, e drejta të jetë i pasur.

Në këtë libër nuk do të flas për pasuritë në mënyrë figurative; të jesh vërtet i pasur nuk do të thotë të ndihesh i vetëkënaqur apo i kënaqur me pak. Askush nuk duhet të kënaqet me pak nëse është i aftë të përdorë dhe të shijojë më shumë. Qëllimi i Natyrës është përparimi dhe shpalosja e jetës dhe çdo njeri duhet të ketë gjithçka që mund të kontribuojë në pushtet: elegancën, bukurinë dhe pasurinë e jetës. Të kënaqesh me pak është mëkat.

Njeriu që zotëron gjithçka që dëshiron për të jetuar plotësisht jetën, që është i aftë të bëjë, është i pasur dhe askush që nuk ka shumë para nuk mund të ketë gjithçka që dëshiron. Jeta ka përparuar aq shumë e është bërë aq komplekse, saqë edhe burri apo gruaja më e zakonshme kërkon një pasuri të madhe të jetojë në një mënyrë që i afrohet plotësisë. Çdo person, natyrshëm, dëshiron të bëhet gjithçka që është i aftë të jetë. Kjo dëshirë për të realizuar mundësitë e lindura është e mbrujtur në natyrën njerëzore. Nuk mund të mos dëshirojmë të jemi gjithçka që mund të jemi. Suksesi në jetë është të bëhesh ai që dëshiron të jesh dhe kjo arrihet duke përdorur gjëra, por s'mund të kemi lirinë e përdorimit të gjërave pa u bërë aq të pasur sa të mund t'i blemë. Të kuptuarit e shkencës së pasurimit, pra, është më thelbësorja e të gjitha njohurive.

Nuk ka asgjë të keqe në dëshirën për t'u pasuruar. Dëshira për pasuri është vërtet ajo për një jetë më të pasur, më të plotë, më të bollshme dhe kjo është e lavdërueshme. Njeriu që nuk dëshiron të jetojë më me bollëk është jonormal; po kështu, njeriu që nuk dëshiron të ketë para sa për të blerë gjithçka që dëshiron është anormal. Ekzistojnë tri motive për të cilat jetojmë: për trupin, për mendjen dhe për shpirtin. Askush nga këto nuk është më i mirë ose më i shenjtë se tjetri; të gjithë janë njësoj të dëshirueshëm dhe askush nga të tre, trupi, mendja apo shpirti, nuk mund të jetojë plotësisht nëse ndonjërit prej elementeve të tjera i shkurtohet jeta dhe aftësia shprehëse. Nuk është e drejtë apo fisnike të jetosh vetëm për shpirtin dhe të mohosh mendjen ose trupin. Është gjithashtu e gabuar të jetosh për intelektin dhe të mohosh trupin e shpirtin.

Të gjithë jemi njohur me pasojat e neveritshme të të jetuarit për trupin, në mohim të mendjes dhe shpirtit; e shohim se jeta e vërtetë do të thotë shprehja e plotë e gjithçkaje që njeriu mund të japë përmes trupit, mendjes dhe shpirtit. Çfarëdo të mund të thotë, askush nuk mund të jetë me të vërtetë i lumtur apo i kënaqur nëse trupi i tij nuk jeton plotësisht, në çdo funksion dhe nëse e njëjta gjë nuk është e vërtetë për mendjen dhe shpirtin. Kudo ku ka mundësi të pashprehura ose funksion të pakryer, ekziston dëshira e pakënaqur. Kjo dëshirë është kërkimi i mundësisë së shprehjes ose funksioni që kërkon veprimin.

Njeriu nuk mund të jetojë si duhet në trup pa ushqim të mirë, veshje të rehatshme, strehim të ngrohtë dhe pa liri nga mundimi i tepruar. Pushimi dhe argëtimi janë gjithashtu të nevojshëm për jetën fizike.

Nuk mund të jetojë plotësisht në mendje pa libra

dhe pa kohën për t'i studiuar, pa mundësi udhëtimi dhe vëzhgimi apo pa shoqëri intelektuale. Të jetojë plotësisht në mendje duhet të ketë argëtime intelektuale dhe duhet ta rrethojë veten me të gjitha objektet e artit e bukurisë që është i aftë t'i përdorë e vlerësojë.

Që të jetojë plotësisht në shpirt, duhet të ketë dashuri dhe dashuria pengohet në shprehje nga varfëria. Lumturia më e lartë e një njeriu gjendet në dhënien e të mirave njerëzve që do; dashuria gjen shprehjen e saj më të natyrshme dhe spontane te ndarja e begatisë. Njeriu që nuk ka ç'të japë, nuk mund ta plotësojë vendin e vet si bashkëshort a baba, si qytetar apo si burrë. Veç me përdorimin e gjërave materiale, njeriu gjen jetë të plotë për trupin, zhvillon mendjen dhe shpalos shpirtin. Andaj është e një rëndësie supreme të jetë i pasur.

Është krejt e drejtë të dëshirosh të jesh i pasur; nëse je një burrë apo grua normale nuk e ndalon dot këtë dëshirë. Është krejt e drejtë t'i kushtosh vëmendjen e duhur Shkencës së Pasurimit, sepse është më fisnikja dhe më e domosdoshme nga gjithë studimet. Nëse e neglizhon këtë, ke braktisur detyrën ndaj vetes, ndaj Zotit dhe njerëzimit, sepse nuk mund t'i bësh Zotit dhe njerëzimit shërbim më të madh sesa të përfitosh sa më shumë nga vetja.

# KREU 2
# EKZISTON NJË SHKENCË E PASURIMIT

**Ɛ**kziston një shkencë ekzakte e pasurimit, si algjebra ose aritmetika. Janë disa ligje që rregullojnë procesin e marrjes së pasurisë dhe sapo këto të mësohen e të respektohen nga çdokush, ky apo kjo do të pasurohet me siguri matematikore.

Pronësia e parave dhe e pasurisë vjen si rezultat i bërjes së gjërave në një Mënyrë të Sigurt[1]. Ata që zbatojnë këtë, qoftë me qëllim apo aksidentalisht, pasurohen, ndërsa ata që nuk i bëjnë gjërat në këtë Mënyrë të Sigurt, pa marrë parasysh sa punojnë e sa të aftë janë, mbeten të varfër.

Është një ligj natyror, që thotë se shkaqe të ngjashme prodhojnë efekte të ngjashme. Prandaj, çdo burrë apo grua që mëson të bëjë gjëra në këtë mënyrë të sigurt do të pasurohet me patjetër. Që pohimi i mësipërm është i vërtetë, tregohet nga faktet në vazhdim:

Të pasurohesh nuk është çështje mjedisi, sepse, po të ishte, gjithë njerëzit në lagje të caktuara do të bëheshin të pasur apo njerëzit e një qyteti do të ishin të gjithë të pasur, ndërsa ata të qyteteve të tjera do të ngeleshin të gjithë të varfër. Ose banorët e një shteti do të mbështilleshin me

---

[1] Certain Way, ang. "Mënyrë të Sigurt" është përkthimi më i afërt me atë që ka dashur të shprehë autori.

pasuri, ndërsa ata të një shteti fqinj do jetonin në varfëri.

Por, kudo shohim të pasur e të varfër, që jetojnë krah për krah, në të njëjtin mjedis dhe shpesh të angazhuar në të njëjtat profesione. Kur dy burra janë në të njëjtin lokalitet e në të njëjtin biznes dhe njëri bëhet i pasur, ndërsa tjetri mbetet i varfër, kjo tregon se pasurimi nuk është, kryesisht, çështje e mjedisit. Vërtet, disa mjedise mund të jenë më të favorshme se të tjerët, por, kur dy njerëz në të njëjtën biznes janë në të njëjtën lagje dhe njëri pasurohet ndërsa tjetri dështon, kjo tregon se pasurimi është rezultat i bërjes së gjërave në një Mënyrë të Sigurt. Më tej, aftësia për të bërë gjëra në këtë mënyrë të sigurt nuk i detyrohet vetëm zotërimit të talentit, sepse shumë njerëz që kanë talent të madh mbeten të varfër, ndërsa të tjerët të patalentuar pasurohen.

Duke studiuar njerëzit që janë pasuruar, zbulojmë se janë tejet mesatarë në gjithë aspektet: nuk kanë talente dhe aftësi më të mëdha se të tjerët. Është e qartë se nuk bëhen të pasur se posedojnë talente apo aftësi që të tjerët nuk i kanë, por sepse u ndodh të bëjnë gjërat në një Mënyrë të Sigurt.

Pasurimi nuk është rezultat i kursimit; shumë njerëz të kursyer janë të varfër, ndërsa shpenzuesit e mëdhenj shpesh pasurohen.

Nuk pasurohesh as për shkak të bërjes së gjërave që të tjerët nuk i bëjnë dot. Nga dy njerëz në të njëjtin biznes, që shpesh bëjnë thuajse saktësisht të njëjtat gjëra, njëri pasurohet, ndërsa tjetri mbetet i varfër ose falimenton. Nga të gjitha këto arrijmë në përfundimin se pasurimi është rezultat i bërjes së gjërave në një Mënyrë të Sigurt.

Nëse pasurimi është rezultat i bërjes së gjërave në një Mënyrë të Sigurt dhe nëse shkaqe të tilla prodhojnë gjithnjë efekte të njëjta, atëherë çdo burrë apo grua, që do t'i bëjë gjërat në atë mënyrë, mund të pasurohet dhe e gjithë çështja sillet brenda fushës së shkencave ekzakte.

Këtu shtrohet pyetja, nëse vallë kjo mënyrë e sigurt mund të mos jetë aq e vështirë sa që vetëm pak mund ta ndjekin. Kjo nuk është e vërtetë, siç e pamë, të paktën për sa i përket aftësive natyrore. Njerëz të talentuar pasurohen dhe kokëtrashët pasurohen; njerëz të shkëlqyer intelektualisht bëhen të pasur dhe të tjerë shumë budallenj pasurohen; njerëz të fortë fizikisht bëhen të pasur dhe të dobëtit e të sëmurët pasurohen.

Një farë shkalle e aftësisë për të menduar dhe kuptuar është thelbësore, natyrisht, por, për sa i përket aftësive natyrore, çdo burrë a grua që ka aq aftësi sa duhen për të lexuar dhe kuptuar këto fjalë, sigurisht që mund të pasurohet. Gjithashtu kemi parë që nuk është çështje mjedisi. Vendndodhja vlen për diçka; dikush nuk do të shkojë në zemër të Saharasë dhe të presë të bëjë biznes të suksesshëm. Pasurimi përfshin domosdoshmërinë e marrëdhënies me njerëzit dhe të qenit atje ku ka njerëz me të cilët të merresh dhe, nëse ata kanë prirje të veprojnë ashtu si ti dëshiron, aq më mirë. Por, kjo është e tëra çka ka të bëjë me mjedisin.

Nëse dikush tjetër në qytetin tënd mund të pasurohet, edhe ti mundesh. Një tjetër në shtetin tënd arrin të pasurohet, prapë, edhe ti mund ta bësh. Ta theksojmë: nuk është çështje e zgjedhjes së një biznesi apo profesioni të veçantë. Njerëzit pasurohen në çdo biznes e në çdo profesion; ndërsa fqinjët e tyre në të njëjtën fushë ngelen të varfër.

Është e vërtetë që do bësh më të mirën në një biznes që të pëlqen e që është i përshtatshëm për ty dhe nëse ke ca talente të zhvilluara mirë, do bësh më të mirën në një biznes që kërkon ushtrimin e këtyre talenteve. Gjithashtu do të bësh më të mirën në një biznes që është i përshtatshëm edhe për zonën tënde; një dyqan akulloresh do ish më i suksesshëm në një klimë të ngrohtë sesa në Groenlandë dhe peshkim i salmonit do ketë më shumë sukses në Veriperëndim sesa në Florida, ku nuk ka salmon fare.

Por, përveç këtyre kufizimeve të përgjithshme, pasurimi nuk varet nga përfshirja në ndonjë biznes të veçantë, por nga të mësuarit që të bësh gjërat në një Mënyrë të Sigurt. Nëse tani je në biznes dhe dikush tjetër në zonën tënde po pasurohet me të njëjtin, ndërsa ti nuk po bëhesh i pasur, kjo ndodh për shkak se nuk po i bën gjërat në të njëjtën mënyrë si tjetri.

Askush nuk pengohet të pasurohet nga mungesa e kapitalit. E vërtetë, po pate kapital rritja bëhet më e lehtë dhe më e shpejtë, por ai që ka kapital është i pasur dhe nuk ka nevojë të marrë parasysh si të bëhet i tillë. Pavarësisht se sa i varfër mund të jesh, nëse fillon të bësh gjërat në një Mënyrë të Sigurt do të nisësh të pasurohesh dhe, për pasojë, do fillosh të kesh kapital. Marrja e kapitalit është një pjesë e procesit të pasurimit dhe kjo pjesë e rezultatit që vazhdimisht ndjek bërjen e gjërave në Mënyrë të Sigurt. Mund të jesh njeriu më i varfër në kontinent, plot borxhe, pa miq e ndikim dhe pa burime, por, nëse fillon t'i bësh gjërat në këtë mënyrë, do nisësh pa asnjë dyshim të pasurohesh, sepse shkaqe të njëjta japin efekte të ngjashme. Nëse nuk ke kapital, do mund ta gjesh; nëse je në biznesin e gabuar, mund të hysh në të duhurin; nëse je në vendin e gabuar, mund të shpërngulesh te i duhuri. Këtë mund ta bësh duke filluar në biznesin e tanishëm dhe aty ku ndodhesh aktualisht, nëse fillon t'i bësh gjërat në Mënyrën e Sigurt e që shkakton sukses.

## KREU 3
## A JANË MONOPOLIZUAR MUNDËSITË?

Askush nuk mbahet i varfër sepse i është hequr mundësia; sepse të tjerët kanë monopolizuar pasurinë dhe i kanë vënë gardh. Mund të mos kesh mundësi të përfshihesh në një biznes në fusha të caktuara, por ka fusha të tjera të hapura plot. P.sh: është e vështirë të marrësh kontrollin e ndonjë prej sistemeve hekurudhore, kur kjo fushë është monopol i dikujt, por ama biznesi i hekurudhave elektrike është ende në fillimet e tij dhe ofron mjaft hapësirë për ndërmarrje. Do të kalojnë vetëm pak vite derisa trafiku dhe transporti ajror do bëhen një industri e shkëlqyer dhe në të gjitha degët e saj do të sjellë punësim për qindra mijëra dhe ndoshta miliona njerëz. Pse të mos e kthesh vëmendjen në zhvillimin e transportit ajror, në vend që të konkurrosh me J.J.Hill dhe të tjerët, për një shans në botën e hekurudhës me avull?

Është mjaft e qartë që, nëse je i punësuar në një shoqëri hekur-çeliku, ke shumë pak shanse të bëhesh pronar i uzinës në të cilën punon, por është gjithashtu e vërtetë që nëse do fillosh të veprosh në një Mënyrë të Sigurt, së shpejti mund të largohesh nga puna aktuale e të blesh një fermë prej dhjetë deri dyzet hektarësh e të merresh me biznes si prodhues i produkteve ushqimore. Në kohën që jetojmë ka mundësi të mëdha për njerëzit që jetojnë në ferma të vogla dhe kultivojnë të njëjtën kulturë intensivisht. Njerëz të tillë sigurisht që pasurohen. Mund të thuash se e ke të pamundur të marrësh tokën, por do të ta provoj se nuk është e pamundur dhe se me siguri mund të gjesh një fermë, nëse do nisësh të punosh në një Mënyrë të Sigurt.

Në periudha të ndryshme, rryma e mundësive shkon në drejtime të ndryshme, sipas nevojave të shoqërisë dhe sipas fazës së veçantë të evolucionit shoqëror që është arritur. Aktualisht, në Amerikë, ekonomia po i drejtohet bujqësisë dhe industrive e profesioneve rreth saj. Sot janë hapur mundësitë edhe para punëtorit të fabrikës në linjën e tij të punës. Ka mundësi për njeriun e biznesit që furnizon fermerin më shumë sesa për atë që furnizon punëtorin e fabrikës; më shumë mundësi për njeriun profesional që pret nga fermeri e më tepër sesa për atë që i shërben klasës punëtore.

Ka plot mundësi për njeriun që dëshiron të shkojë me rrymën, në vend që të përpiqet të notojë kundër saj. Kështu, punëtorët e fabrikës, qoftë si individë, qoftë si klasë, nuk privohen nga mundësitë. Nuk po "mbahen poshtë" nga padronët e tyre dhe as nuk pengohen nga korporatat dhe kombinimet e kapitalit. Si klasë, ata janë aty ku janë sepse nuk i bëjnë gjërat në një Mënyrë të Sigurt. Nëse punëtorët e Amerikës do vendosin ta bëjnë këtë, mund të ndjekin shembullin e vëllezërve të tyre në Belgjikë dhe vende të tjera e të krijojnë dyqane të shkëlqyera dhe kooperativa industriale; mund të zgjedhin njerëz të klasës së tyre në politikë dhe të miratojnë ligje që favorizojnë zhvillimin e industrive të tilla kooperuese. Kështu, për jo shumë vite mund të marrin posedimin paqësor të fushës ku punojnë.

Klasa punëtore mund të bëhet klasa sunduese kur të fillojë të bëjë gjëra në një Mënyrë të Sigurt. Ligji i pasurisë është i njëjtë për të, siç është për gjithë të tjerët. Duhet ta mësojë mirë këtë ose do të rrijë aty ku është për sa kohë që vazhdon të bëjë të njëjtë gjë. Megjithatë, punëtori individual nuk mbahet lidhur nga injoranca ose përtacia mendore e klasës së tij; ai mund të ndjekë valën e pasurimit dhe ky libër do t'i tregojë se si.

Askush nuk mbahet në varfëri nga mungesa e pasurisë në botë; ka më se mjaftueshëm për të gjithë. Një pallat i madh sa Kapitoli në Uashington mund të ndërtohet për çdo familje në tokë vetëm nga materialet e ndërtimit në Shtetet e Bashkuara. Me kultivim intensiv, ky vend do të prodhonte lesh, pambuk, lin e mëndafsh të mjaftueshëm për të veshur çdo person në botë, më mirë sesa ishte veshur Solomoni me gjithë lavdinë e tij; bashkëngjitur kjo me prodhime të mjaftueshme për t'i ushqyer të gjithë me luks.

Furnizimi i dukshëm është praktikisht i pashtershëm; edhe furnizimi i padukshëm vërtet është i pashtershëm. Gjithçka që shihni në tokë është bërë nga një substancë origjinale, nga e cila vijnë të gjitha gjërat.

Forma të reja krijohen vazhdimisht dhe më të vjetrat treten, por të gjitha janë forma të ndërtuara nga Një Gjë. Nuk ka asnjë limit në furnizimin me Lëndën e Paformë apo Substancën Origjinale. Universi është bërë prej saj, por ama nuk u përdor e gjitha për universin. Hapësirat në dhe midis formave të universit të dukshëm janë të mbushura me Substancën Origjinale; me Lëndën e Paformë; me lëndën e parë të të gjitha gjërave. Dhjetë mijë herë më shumë sesa është bërë mund të bëhet akoma. Edhe atëherë nuk do të shterohej furnizimi me lëndën e parë universale. Asnjë njeri, pra, nuk është i varfër sepse natyra është e dobët apo sepse nuk ka aq të mira sa për të tërë.

Natyra është një depo e pashtershme pasurish; furnizimi nuk do të mbarojë kurrë. Substanca Origjinale është e gjallë me energji krijuese dhe vazhdimisht prodhon më shumë forma. Kur të shterojë furnizimi me materiale ndërtimi, do të prodhohet më shumë; kur toka të shterojë dhe ushqimet dhe materialet për veshje të mos rriten më mbi të, gjithçka do të rinovohet ose do të krijohet më shumë tokë. Kur i gjithë ari dhe argjendi të jenë nxjerrë nga nëntoka, nëse njeriu është akoma në një fazë të tillë të zhvillimit shoqëror që të ketë nevojë për ar dhe argjend, më shumë do të prodhohet nga Lënda e Paformë, e cila u përgjigjet nevojave të njeriut dhe nuk do ta lërë të mbetet asnjëherë pa të mira materiale. Kjo është e vërtetë për gjithë njerëzimin; raca njerëzore si një e tërë është gjithmonë e pasur. Nëse individët janë të varfër, kjo është për shkak se nuk ndjekin Mënyrën e Sigurt për të bërë ato që e bëjnë njeriun të pasur.

Lënda e Paformë është inteligjente, diçka që mendon. Është e gjallë dhe gjithmonë shtyhet drejt më shumë jete. Është një impuls dhe instinkt i natyrshëm i jetës të kërkojë të jetojë më shumë. Natyra e vetë inteligjencës është të rritet dhe e vetëdijes të kërkojë të shtrijë kufijtë e saj e të gjejë shprehje më të plotë. Universi është bërë nga Substanca e Gjallë e Paformë, e hedhur vetëdijshëm në formë, në mënyrë që të shprehet më plotësisht.

Gjithësia është një Prani e Gjallë e madhe, gjithmonë në lëvizje, në mënyrë të natyrshme, drejt më shumë jete dhe funksionimi më të plotë. Natyra është formuar për përparimin e jetës dhe motivi i saj impulsiv është rritja e jetës. Për këtë arsye, gjithçka që mund t'i shërbejë asaj ofrohet me bollëk; nuk mund të ketë mungesa ose Zoti do bjerë në kundërshtim me veten dhe do anulojë veprat e tij. Nuk po të mbajnë të varfër për mungesë të sasisë të të mirave: ky është një fakt të cilin do ta demonstroj pak më tej, sepse edhe burimet e Furnizimit me të Paformën janë nën komandën e burrit ose gruas që do të veprojë dhe mendojë në Mënyrë të Sigurt.

# KREU 4
## PARIMI I PARË I SHKENCËS SË PASURIMIT

Mendimi është fuqia e vetme që mund të prodhojë pasuri të prekshme nga Substanca e Paformë, nga e cila janë bërë të gjitha gjërat. Kjo është një substancë që mendon dhe një mendim për formën në të prodhon vetë formën.

Substanca Origjinale lëviz sipas mendimeve të saj; çdo formë dhe proces që shihni në natyrë është shprehja e dukshme e një mendimi brenda saj. Kur Lënda e Paformë mendon për një formë, e merr atë dhe kur mendon për një lëvizje, e bën. Kjo është mënyra se si janë krijuar të gjitha gjërat. Jetojmë në një botë mendimi që është pjesë e një universi mendimi. Mendimi për një univers në lëvizje u shtri në të gjithë Substancën e Paformë dhe Lënda Menduese, që lëvizte sipas këtij mendimi, mori formën e sistemeve të planetëve dhe tani e ruan këtë formë. Substanca Menduese merr formën e mendimit të saj dhe lëviz sipas atij mendimi. Me idenë e një sistemi planetar, të diellit dhe botëve, Lënda merr formën e këtyre trupave dhe i lëviz siç mendon. Duke menduar formën e një lisi që rritet ngadaltë, ajo lëviz në përputhje me rrethanat dhe prodhon pemën, megjithëse mund të kërkohen shekuj për ta bërë punën. Gjatë krijimit, e Paforma duket se lëviz sipas linjave që ka vendosur vetë; mendimi i një lisi nuk shkakton formimin e menjëhershëm të pemës së rritur, por fillon të lëvizë forcat që do të prodhojnë pemën, përgjatë vijave të vendosura të rritjes.

Çdo mendim i formës, i mbajtur në substancën Menduese, shkakton krijimin e formës, por, gjithmonë ose të paktën përgjithësisht, përgjatë vijave të rritjes dhe veprimit, të vendosura më parë.

Mendimi për një shtëpi me një strukturë të caktuar, nëse do të hidhej në Lëndën e Paformë, mund të mos shkaktojë formimin e menjëhershëm të shtëpisë, por do të shkaktonte nxitjen e energjive krijuese, që tani punojnë në industri dhe

25

tregti, në fusha të tilla, që në fund do të rezultojë në ndërtimin e shpejtë të shtëpisë. Dhe nëse nuk do të kishte kanale ekzistuese përmes të cilave të mund të punonte energjia krijuese, shtëpia do të ndërtohej direkt nga substanca primare, pa pritur për proceset e ngadalta të botës organike dhe inorganike.

Asnjë mendim forme nuk mund të hidhet mbi Lëndën Origjinale pa shkaktuar krijimin e formës së menduar. Njeriu është një qendër mendimi e që mund të krijojë mendim. Të gjitha format që ky krijon me duart e tij duhet së pari të ekzistojnë në mendim; nuk mund ta formëzojë një gjë po të mos e ketë menduar më parë.

Deri më tash, njeriu i ka kufizuar përpjekjet e tij plotësisht në punën e duarve; ka bërë veç punë manuale në botën e formave, duke u përpjekur të ndryshojë ose modifikojë ato gjëra që ekzistojnë. Kurrë nuk ka menduar të përpiqet të shkaktojë krijimin e formave të reja, duke hedhur mendimet e tij drejt Substancës së Paformë.

Kur njeriu mendon një formë, merr materialet nga format e natyrës dhe bën një imazh të formës që ka në mendje. Deri këtu ka bërë pak ose aspak përpjekje për të bashkëpunuar me Inteligjencën e Paformë; të punojë "me Atin". Nuk ka ëndërruar kurrë se mund të "bëjë atë që sheh se Ati bën". Njeriu riformon dhe modifikon format ekzistuese me punë manuale dhe nuk i ka kushtuar vëmendjen e duhur pyetjes nëse mund apo jo të prodhojë gjëra nga Substanca e Paformë, duke i komunikuar mendimet e veta. Ndaj propozoj të provojmë se njeriu mund ta bëjë këtë. Do të tregojmë se çdo burrë apo grua mund ta bëjë dhe se si.

Si hap i parë duhet të parashtrojmë tri propozime themelore:

Së pari, pohojmë se ekziston një Lëndë origjinale e Paformë ose substancë, me të cilën është bërë gjithçka. Të gjitha elementet në dukje s'janë tjetër veç prezantime të ndryshme të një elementi të vetëm; të gjitha format e shumta në natyrë, organike dhe joorganike, nuk janë veçse forma të ndryshme, të bëra nga të njëjtat gjëra, që është lënda menduese. Një mendim brenda saj prodhon formën e menduar. Mendimi, në lëndën menduese, prodhon forma. Njeriu është një qendër mendimi, e aftë për ide origjinale dhe nëse arrin t'ia komunikojë mendimin e tij lëndës origjinale të të menduarit, mund të shkaktojë krijimin ose formimin e sendit për të cilin mendon. Për ta përmbledhur:

*Ekziston një lëndë menduese nga e cila është bërë gjithçka dhe që në gjendjen e saj origjinale hyn, depërton dhe mbush hapësirat e ndërmjetme të universit. Një mendim, në këtë lëndë, prodhon atë që është imagjinuar nga mendimi.*

*Njeriu mund të formojë gjëra në mendimet e tij dhe, duke i projektuar këto mendime mbi lëndën e Paformë, mund të bëjë të krijohet ajo për të cilën po mendon. Mund të pyesni nëse do mund*

27

*t'i provoj këto thënie, ndaj, pa hyrë në detaje, përgjigjem se mund ta bëj, si me logjikë, ashtu edhe nga përvoja.*

Duke ndjekur mbrapsht arsyetimin e fenomeneve të formës dhe të mendimit del në konkluzionin se ka veç një lëndë origjinale të të menduarit. Dhe duke përparuar arsyetimin drejt kësaj lënde që mendon, del në konkluzionin se është brenda fuqisë së njeriut të shkaktojë formimin e gjërave për të cilat mendon.

Edhe duke eksperimentuar, arsyetimin e gjej të vërtetë dhe kjo është prova më e fortë.

Nëse një person që lexon këtë libër pasurohet duke bërë ato që i thotë, kjo është provë në mbështetje të pretendimit tim. Gjithashtu, nëse çdo person që bën atë që i thotë ky libër pasurohet, kjo është një provë pozitive deri në rastin kur dikush kalon procesin dhe dështon. Teoria është e vërtetë deri në momentin që procesi dështon, por ky proces nuk do të dështojë, sepse çdo njeri që bën pikërisht atë që i thotë ky libër do të pasurohet.

E kam thënë se njerëzit pasurohen duke bërë gjëra në një Mënyrë të Sigurt, por, për ta bërë këtë, duhet të bëhen të aftë të mendojnë në një Mënyrë të Sigurt.

Mënyra se si dikush i bën gjërat, është rezultat i drejtpërdrejtë i mënyrës se si mendon.

Për t'i bërë gjërat në mënyrën se si dëshiron t'i bësh, do të duhet të edukosh aftësinë që të mendosh ashtu siç dëshiron; ky është hapi i parë drejt pasurimit.

Të mendosh atë që dëshiron, është të mendosh të Vërtetën, pavarësisht nga paraqitja.

Çdo njeri ka fuqinë natyrore dhe të qenësishme për të menduar atë që dëshiron të mendojë, por kërkon shumë më shumë përpjekje ta bësh këtë sesa ç'kërkon të mendosh idetë që sugjerohen nga paraqitja. Të mendosh sipas pamjes është e lehtë; të mendosh të vërtetën, pavarësisht paraqitjes, është e mundimshme dhe kërkon harxhimin e më shumë energjie sesa çdo punë tjetër që njeriut i kërkohet të bëjë.

Nuk ka punë tjetër nga e cila shmangen shumica e njerëzve, siç bëjnë nga ajo e të menduarit të qëndrueshëm dhe të përsëritshëm; është puna më e vështirë në botë. Kjo është veçanërisht e vërtetë kur ato që vë re duken në kundërshti me ato që sheh. Çdo paraqitje në botën e dukshme prodhon një formë përkatëse në mendjen që po e vëzhgon. Kjo mund të parandalohet vetëm duke mbajtur fort mendimin e së Vërtetës.

Kur sheh pamjen e një sëmundjeje prodhon formën e sëmundjes në mendje dhe përfundimisht në trupin tënd, përveç rasteve kur mban mendimin e së Vërtetës, që nuk ka sëmundje; është vetëm një imazh dhe në realitet je shëndoshë.

Kur sheh pamjet e varfërisë prodhon format përkatëse në mendje, përveç rastit kur mban ndërmend të vërtetën se: nuk ka varfëri; ka vetëm bollëk.

Të mendosh shëndet kur rrethohesh nga sëmundjet ose të mendosh pasuri kur rrethohesh nga varfëria, kërkon fuqi. Ai që e merr këtë fuqi bëhet MJESHTËR i MENDIMIT; mund të zotërojë fatin dhe të ketë atë që dëshiron.

Kjo fuqi mund të fitohet vetëm duke marrë parasysh faktin themelor pas gjithë paraqitjeve dhe ky fakt është se ekziston një Lëndë Menduese, nga e cila dhe prej së cilës bëhet gjithçka.

Atëherë duhet të kuptojmë të vërtetën se çdo mendim i mbajtur në këtë substancë kthehet në formë dhe se njeriu mund t'i projektojë mendimet e veta mbi të deri sa të bëjë që ato të marrin formë dhe të bëhen gjëra të dukshme.

Kur e kuptojmë këtë, humbasim çdo dyshim dhe frikë, sepse e dimë se mund ta krijojmë atë që duam; mund ta marrim atë që dëshirojmë të kemi dhe të bëhemi ata që duam të jemi. Si hap i parë drejt pasurimit duhet të besosh tri parimet themelore të dhëna më parë në këtë kapitull. Që të theksohen po i përsëris:

Ekziston një Substancë Menduese nga e cila është bërë gjithçka dhe që në gjendjen e saj origjinale hyn, depërton dhe mbush hapësirat ndërmjetëse të universit. Një mendim në këtë Substancë krijon atë që është imagjinuar nga mendimi.

Njeriu mund të krijojë forma në mendime dhe, duke i projektuar këto mendime mbi Substancën e Paformë, mund të shkaktojë vërtet krijimin e asaj që ka menduar.

Duhet të lësh mënjanë të gjitha konceptet e tjera të universit përveç këtij koncepti monistik. Më pas duhet ta mbash këtë në mendje derisa të vendoset plotësisht dhe të jetë kthyer në një mendim të zakonshëm.

Lexo këto parime pa pushim; gdhend çdo fjalë në kujtesë dhe mendo mbi to derisa të besosh vendosmërisht në atë që thonë. Nëse vjen një dyshim, hidhe mënjanë si mëkat. Mos dëgjo argumente kundër kësaj ideje; mos shko në kisha apo ligjërata ku mësohet e predikohet një koncept i kundërt. Mos lexo revista ose libra që japin një ide tjetër; nëse e turbullon besimin, gjithë përpjekjet do shkojnë kot.

Mos pyet se pse këto gjëra janë të vërteta dhe as mos hamendëso se si mund të jenë të vërteta; thjesht merri me besim. Shkenca e pasurimit fillon me pranimin absolut të këtij besimi.

## KREU 5
## TË SHTOSH JETËN

Duhet të heqësh qafe qoftë edhe një mendim të idesë së vjetër se ekziston një Hyjni, vullneti i të cilit është të jesh i varfër ose që synimet e të cilit mund të shërbehen duke të mbajtur në varfëri.

Substanca Inteligjente që është Gjithçka dhe

në Gjithçka, që jeton tek të Gjithë dhe tek ti, është një Lëndë e Gjallë me vetëdije. Duke qenë e vetëdijshme dhe e gjallë duhet të ketë natyrën dhe dëshirën e qenësishme për rritjen e jetës, si të çdo inteligjence tjetër. Çdo qenie e gjallë kërkon vazhdimisht zgjerimin e jetës së saj, sepse jeta, thjesht me veprimin e të jetuarit, duhet të rritet vetvetiu. Një farë, e rënë në tokë, mbin dhe në aktin e të jetuarit prodhon qindra fara; duke jetuar, jeta shumëfishon vetveten. Në një shtim të përhershëm e të detyrueshëm, nëse dëshiron të vazhdojë të ekzistojë.

Inteligjenca ka të njëjtën nevojë për rritje të vazhdueshme. Çdo mendim e bën të domosdoshëm krijimin e një mendimi tjetër; vetëdija zgjerohet vazhdimisht. Çdo fakt që mësojmë na çon në mësimin e një tjetër fakti; dijet rriten vazhdimisht. Çdo talent që kultivojmë sjell në mendje dëshirën për të kultivuar një talent tjetër, sepse kemi brenda vetes dëshirën e jetës; kërkojnë shprehje, gjë e cila na shtyn përherë të dimë më shumë, të bëjmë më shumë dhe të jemi më shumë. Në mënyrë që të dimë më shumë, të bëjmë më shumë dhe të jemi më shumë, duhet të kemi më shumë. Duhet të kemi gjëra për t'i përdorur, sepse mësojmë, bëjmë dhe bëhemi vetëm duke përdorur gjëra. Duhet të pasurohemi që të jetojmë më shumë. Dëshira për pasuri është thjesht aftësia për një përmbushje më të madhe në jetë; çdo dëshirë është përpjekja e një mundësie të pashprehur për të hyrë në veprim. Është fuqia që kërkon të manifestohet e cila shkakton dëshirën.

Ajo që ju bën të dëshironi më shumë para është e njëjtë me atë që e bën bimën të rritet; është Jeta, që kërkon shprehje më të plotë.

Substanca e Vetme e Gjallë duhet t'i nënshtrohet këtij ligji të natyrshëm të gjithë jetës; mishëron dëshirën për të jetuar më shumë; kjo është edhe arsyeja pse e ka të domosdoshme krijimin e gjërave.

Substanca dëshiron të jetojë më shumë te ju, ndaj dëshiron të kesh gjithë gjërat që mund të përdorësh. Është dëshira e Zotit të bëhesh i pasur. Ai dëshiron që ti të bëhesh i pasur, sepse mund të shprehet më mirë përmes teje nëse do kesh më shumë gjëra të përdorësh, me të cilat t'i japësh shprehje. Ai mund të jetojë më shumë tek ti nëse do ketë kontrollin e pakufizuar të mjeteve të jetës. Universi do që ti të kesh gjithçka dëshiron.

Natyra është miqësore me planet e tua. Gjithçka është e natyrshme për ty. Bindu se kjo është e vërtetë. Sidoqoftë është thelbësore që qëllimi yt të harmonizohet me qëllimin që është tek e Gjitha. Duhet të dëshirosh jetën e vërtetë, jo thjesht plotësimin e kënaqësisë sensuale. Jeta është kryerja e funksionit dhe individi me të vërtet jeton vetëm kur kryen çdo funksion, fizik, mendor dhe shpirtëror, për të cilin është i aftë, pa tepruar asnjë.

Mos dëshiro të pasurohesh që të jetosh pa mend, thjesht për plotësimin e dëshirave "kafshërore"; kjo nuk është jeta. Por kryerja e çdo funksioni fizik është pjesë e jetës dhe askush nuk jeton plotësisht nëse i mohon impulseve normale të trupit një shprehje të shëndetshme. Nuk duhet të duash të pasurohesh vetëm për të shijuar kënaqësitë mendore, për të mbledhur dije, për të kënaqur ambiciet, për të shkëlqyer mbi të tjerët apo për të qenë i famshëm. Të gjitha këto janë një pjesë e ligjshme e jetës, por njeriu që jeton vetëm për kënaqësitë e intelektit do të ketë vetëm një jetë të pjesshme dhe kurrë nuk do të ndihet i kënaqur me pjesën e tij.

Nuk duhet të duash të pasurohesh vetëm për të mirën e të tjerëve, të sakrifikohesh për shpëtimin e njerëzimit e të përjetosh gëzimet e filantropisë dhe sakrificës. Gëzimet e shpirtit janë veç një pjesë e jetës dhe aspak më të mira apo më fisnike se çdo pjesë tjetër.

Duhet të dëshirosh të pasurohesh që të mund të hash, të pish dhe të gëzohesh kur është koha për t'i bërë këto gjëra; që të mund të rrethohesh me gjëra të bukura, të shohësh vende të largëta, të ushqesh mendjen dhe të zhvillosh intelektin; që t'i duash njerëzit dhe të bësh të mira; të jesh në gjendje të kontribuosh mirë duke ndihmuar botën të gjejë të vërtetën.

Por mos harro se altruizmi ekstrem nuk është më i mirë dhe më fisnik se egoizmi ekstrem; të dy janë gabim. Hiq qafe idenë se Zoti dëshiron të flijosh veten për të tjerët dhe se mund të fitosh dashurinë e tij duke bërë këtë; Zoti nuk kërkon asgjë të këtij lloji.

Ajo që dëshiron është të bësh më të mirën e mundshme për veten dhe për të tjerët. Mund të ndihmosh të tjerët më shumë duke përmirësuar më shumë veten sesa në çdo rrugë tjetër.

Mund të arrish maksimumin tënd vetëm duke u pasuruar; kështu që është e drejtë dhe e lavdërueshme t'i japësh vëmendjen kryesore dhe më të mirën e mundshme punës për rritjen e pasurisë.

Megjithatë mos harro se dëshira e Substancës është për të gjithë dhe lëvizjet e saj janë për më shumë jetë tek të gjithë; nuk mund të detyrohet të punojë për më pak jetë për askënd, sepse është njësoj te gjithçka: kërkon pasuri dhe jetë.

Substanca Inteligjente do të krijojë ato që do ti, por nuk do t'i heqë asgjë dikujt tjetër që të ta japë.

Duhet të heqësh qafe çdo mendim për konkurrencën. Duhet të krijosh, jo të konkurrosh për atë që tashmë është krijuar. S'ke pse i merr kujt asgjë. S'ke pse bën pazare të forta. S'ke pse mashtron apo përfiton nga dikush. S'ke nevojë të shfrytëzosh punën e tjetërkujt duke e paguar më pak sesa i takon.

S'ke pse lakmon pasurinë e të tjerëve apo ta shohësh me zili; askush nuk ka asgjë që nuk mund ta kesh edhe ti. E gjithë kjo pa i marrë askujt atë që ka.

Duhet të bëhesh krijues, jo konkurrues. Do të mund të marrësh atë që dëshiron, por në mënyrë të tillë që, kur ta arrish, edhe çdo njeri tjetër do të ketë më shumë sesa ka tani.

Jam i vetëdijshëm se ka njerëz që marrin shuma të madha parash duke vepruar në kundërshtim të drejtpërdrejtë me parimet në paragrafin më sipër dhe mund të shprehin kundërshtim për sa flasim. Njerëzit e tipit plutokratik, që bëhen shumë të pasur, e bëjnë këtë ndonjëherë thjesht me aftësitë e tyre të jashtëzakonshme në konkurrencë dhe nganjëherë lidhen në mënyrë të pavetëdijshme me Substancën, në qëllimet dhe lëvizjet e saj të mëdha për ndërtimin e përgjithshëm njerëzor përmes evolucionit industrial. Rockefeller, Carnegie, Morgan etj, kanë qenë agjentët e pavetëdijshëm të Supremes në punën e domosdoshme të sistemimit dhe organizimit të industrisë dhe puna e tyre do të kontribuojë jashtëzakonisht në rritjen e jetës për të gjithë. Por ditët e tyre thuajse kanë mbaruar, sepse, pas organizimit të prodhimit, gjithçka do i pasohet agjentëve e turmës, që do të organizojnë makinerinë e shpërndarjes.

Multimilionerët janë si përbindëshat zvarranikë të epokave prehistorike; luajnë një rol të domosdoshëm në procesin evolucionar, por, e njëjta Fuqi që i prodhoi, do t'i largojë. Është mirë të mbahet parasysh se nuk kanë qenë kurrë me të vërtetë të pasur; kujtimet e jetës private të shumicës së kësaj klase do të tregojnë se ata kanë qenë vërtet më të mjerët e të varfërve.

Pasuritë e siguruara në planin konkurrues nuk janë kurrë të kënaqshme dhe të përhershme; janë të tuat sot dhe të një tjetri nesër. Mos harro: që të bëhesh i pasur në mënyrë shkencore dhe të veçantë duhet të dalësh plotësisht jashtë mentalitetit konkurrues. Nuk duhet të mendosh për asnjë moment se furnizimi është i kufizuar. Sapo të fillosh të mendosh se paratë janë mbledhur dhe kontrollohen nga bankierët apo të tjerët dhe se ti duhet të lodhesh për të kaluar ligje e për të ndalur këtë proces, bie në mentalitetin konkurrues dhe fuqia jote për të shkaktuar krijim zhduket për momentin. Më e keqja është se ndoshta do të ndalësh edhe ato lëvizje krijuese që ke vënë tashmë në punë.

Dije se ka miliona dollarë të panumërta në ar në gjirin e tokës, të pasjella akoma në dritë. Por ta dish se, nëse nuk do të kishte, do të krijoheshin më shumë nga Substanca Menduese për të furnizuar nevojat e tua.

Dije se paratë që të nevojiten do vijnë edhe nëse është e nevojshme që një mijë burra të udhëhiqen nesër drejt zbulimit të minierave të reja të arit.

Asnjëherë mos shiko furnizimin e dukshëm; shih gjithmonë pasuritë e pakufishme në Substancën e Paformë dhe dije se pasuritë po vijnë drejt teje aq shpejt sa do mund t'i marrësh e t'i përdorësh. Askush, edhe duke ndaluar furnizimin e dukshëm, nuk mund të të ndalojë të marrësh atë që të takon.

Kështu që kurrë mos e lejo veten të mendosh, qoftë edhe për një çast, se të gjitha vendet e mira të ndërtimit do zihen para se të bëhesh gati të ndërtosh shtëpinë tënde ideale. Mos u shqetëso për kompanitë dhe korporatat me frikën se së shpejti do kenë në zotërim gjithë tokën. Mos ki frikë se do të humbësh atë që dëshiron, sepse dikush tjetër do ta marrë para teje. Kjo nuk mund të ndodhë, sepse nuk po kërkon ndonjë gjë që posedohet nga dikush tjetër; po shkakton krijimin e asaj që dëshiron nga Substanca e Paformë dhe furnizimi është pa kufi. Përmbaju kësaj deklarate:

Ekziston një Substancë Menduese nga e cila janë bërë të gjitha gjërat dhe që në gjendjen e saj origjinale hyn, depërton dhe mbush hapësirat e ndërmjetme të universit. Një mendim, në këtë substancë, prodhon sendin që është imagjinuar nga mendimi.

Njeriu mund të formojë gjëra në mendimin e tij dhe, duke i projektuar këto mendime mbi Lëndën e Paformë, mund të bëjë të krijohet gjëja për të cilën mendon.

# KREU 6
## SI DO VIJNË PASURITË

Kur them se nuk ke pse të bësh pazare të forta, nuk dua të them se nuk duhet të bësh pazar fare ose se s'ke nevojë për marrëdhënie me njerëzit e tjerë. Dua të them se nuk do të kesh nevojë të merresh me ta padrejtësisht; nuk ke pse merr diçka për asgjë, por mund t'i japësh gjithkujt më shumë sesa i merr.

Nuk mund t'i japësh askujt më shumë në vlerë parash sesa merr prej tij, por, ama, mund t'i japësh më shumë në vlerë përdorimi sesa vlera e parasë së sendit që i ke marrë. Letra, boja dhe materialet e tjera në këtë libër mund të mos i vlejnë paratë që pagove për to si mall, por nëse idetë e sugjeruara nga ky libër të sjellin mijëra dollarë, nuk je trajtuar padrejtësisht nga ata që ta kanë shitur, sepse të kanë dhënë një vlerë të madhe përdorimi për një shumë të vogël parash.

Të supozojmë se kam një pikturë të një prej artistëve të mëdhenj, që në çdo komunitet të civilizuar vlen mijëra dollarë. E çoj te Baffin Ray dhe ja shes me hile një eskimezi për një pako me gëzofë me vlerë 500 dollarë. Në këtë rast me të vërtetë kam bërë padrejtësi, sepse ai nuk ka dobi nga piktura; nuk ka asnjë vlerë përdorimi për të; nuk do t'i shtojë asgjë jetës së tij. Tani supozoni nëse i jap një armë me vlerë 50 dollarë për gëzofët. Në këtë rast ka bërë një pazar të mirë. Arma i duhet; do t'i sigurojë më shumë lëkura dhe ushqim; do t'i shtojë të mira jetës në çdo aspekt; do ta bëjë të pasur. Kur ngrihesh nga plani konkurrues në atë krijues, mund t'i këqyrësh transaksionet e biznesit në mënyrë shumë rigoroze dhe nëse po i shet kujt diçka që nuk i shton të mira jetës së tij, aq sa gjëja që po ju jep në këmbim, mund të ndalesh e të heqësh dorë. Nuk ke pse mund askënd në biznes dhe, nëse je në një biznes që kërkon mundjen e të tjerëve, dil menjëherë.

Jepi çdokujt më shumë në vlerë përdorimi sesa

i merr në vlerë parash. Veç kështu i shton jetën botës me çdo transaksion biznesi.

Nëse ke të punësuar, duhet të marrësh prej tyre më shumë në vlerë parash sesa i paguan, por ama mund ta organizosh biznesin në atë mënyrë që të ketë parimin dhe mundësi avancimi profesional. Kështu, çdo punonjës që dëshiron të ecë para mund të përparojë çdo ditë nga pak.

Mund ta ndërtosh biznesin në atë formë që të bëjë për punonjësit e tu atë që po bën ky libër për ty. Mund ta zhvillosh biznesin si një shkallë, me anë të së cilës çdo punonjës, që do të marrë mundimin të ngjitet, pasurohet edhe vetë. Nëse i jepet mundësia dhe nuk e bën këtë, nuk është faji yt.

Dhe së fundmi, megjithëse do të shkaktosh krijimin e pasurive nga Substanca e Paformë, që përshkon gjithë mjedisin tënd, nuk do të thotë që gjërat marrin formë në ajër dhe vijnë në ekzistencë papritur.

Nëse dëshiron një makinë qepëse, për shembull, nuk dua të them të projektosh një makine qepëse mbi Substancën Menduese, derisa makineria të formohet vetvetiu në dhomën ku je apo diku tjetër. Nëse të duhet një makinë qepëse, mbaj imazhin e saj në mendje, me sigurinë më pozitive se po bëhet ose është rrugës për te ti. Pasi ta kesh formuar mirë mendimin, ki besimin absolut dhe të padiskutueshëm se makina qepëse po vjen; mos mendo e mos fol për të në ndonjë mënyrë tjetër përveçse me sigurinë se po vjen. Pretendoje si tënden tashmë. Do të sillet nga forca e Inteligjencës Supreme, që vepron përmes mendjeve të njerëzve. Nëse jeton në Maine, mund të ndodhë që dikush të sillet nga Teksasi ose Japonia, të kryejë ndonjë transaksion, që përfundimisht do të rezultojë në marrjen e asaj që dëshiron ti.

Nëse është kështu, e gjitha do të jetë në avantazh të atij njeriu aq sa është në tëndin.

Mos harroni për asnjë moment që Substanca Menduese është kudo e tek të gjithë; komunikon me të gjithë dhe mund t'i ndikojë të gjithë. Dëshira e Substancës Menduese për një jetë më të plotë dhe jetesë më të mirë ka shkaktuar krijimin e të gjitha makinave qepëse të bëra deri tani; mund dhe do të shkaktojë krijimin e miliona të tjerave, sa herë që njerëzit e vënë në lëvizje me dëshirë e besim dhe duke vepruar në një Mënyrë të Sigurt.

Sigurisht që mund të kesh një makinë qepëse në shtëpi. Është po aq e sigurt që mund të kesh çdo gjë tjetër që dëshiron dhe që do t'i përdorësh për përparimin e jetës tënde dhe të të tjerëve.

Mos hezito të kërkosh: "Është kënaqësia e Atit të të japë mbretërinë", thotë Jezusi. Substanca Origjinale dëshiron të jetojë gjithçka që është e mundur tek ti dhe do që të ketë gjithçka mundesh të përdorësh, që të jetosh një jetë më të bollshme.

Nëse gdhend në vetëdije faktin që dëshira që ndjen për zotërimin e pasurive është një me dëshirën e Plotfuqisë për shprehje më të plotë, besimi bëhet i pamposhtur.

Një herë pashë një djalë të vogël në një piano, që përpiqej më kot të nxirrte harmoni nga tastet. E pashë të pikëllohej, i provokuar nga paaftësia e tij për të luajtur vërtet muzikë. E pyeta se pse ish mërzitur dhe m'u përgjigj: "E ndiej muzikën brenda meje, por nuk mund t'i bëj dot duart ta luajnë". Muzika brenda tij ishte THIRRJA e Substancës Origjinale, që përmban gjithë mundësitë e jetës. Gjithçka që përbën muzikën, kërkonte shprehje përmes fëmijës.

Zoti, Substanca Primare, po përpiqet të jetojë, krijojë dhe shijojë gjithçka përmes njerëzimit. Ai thotë: "Dua duar të ndërtoj struktura të mrekullueshme, të luaj harmoni hyjnore, të pikturoj imazhe të lavdishme; dua këmbët që të eci në punë, sy të shoh bukuritë e mia, gjuhë të them të vërteta të fuqishme dhe të këndoj këngë të mrekullueshme" e kështu me radhë. Gjithë mundësitë kërkojnë shprehje përmes njeriut. Zoti dëshiron që ata që luajnë muzikë, të kenë piano dhe çdo instrument tjetër. Të kenë mundësitë të kultivojnë talentet e tyre sa më plot. Ai dëshiron që ata që vlerësojnë bukurinë, të jenë në gjendje të rrethojnë veten me gjëra të bukura; të mund të dallojnë të vërtetën e të kenë çdo mundësi të udhëtojnë e të shohin. Zoti dëshiron që ata që vlerësojnë veshjen, të vishen bukur dhe, ata që vlerësojnë ushqimin e mirë, të ushqehen me luks.

Ai i dëshiron të gjitha këto, sepse është Vetë Ai që i shijon dhe i vlerëson; është Zoti që dëshiron të luajë, të këndojë, të shijojë bukurinë, të shpallë të vërtetën, të veshë rroba të bukura dhe të hajë ushqime të mira. "Është Zoti që punon tek ti, të dëshirojë e të bëjë", thotë Shën Pali.

Dëshira që ndjen për pasuritë është e pafundësisë, që kërkon të shprehet tek ti siç kërkonte të gjente shprehje te djali i vogël në piano.

Kështu që nuk duhet të hezitosh të kërkosh. Thjesht duhet ta fokusosh dhe t'ia shprehësh dëshirën Zotit. Kjo është një pikë e vështirë me shumicën e njerëzve që akoma ruajnë diçka nga ideja e vjetër se varfëria dhe vetëmohimi janë të këndshme për Perëndinë. Këta e shohin varfërinë si një pjesë të planit, një domosdoshmëri të natyrës. Mendojnë se Zoti e ka përfunduar punën e vet, ka bërë gjithçka që mund të bëjë dhe se shumica e njerëzve duhet të rrinë të varfër, sepse nuk ka sa duhet për të gjithë. Për ta, ky mendim i gabuar është aq i rëndësishëm sa që ndihen në turp të kërkojnë pasuri; përpiqen të mos duan më shumë sesa një shpërblim tepër modest, sa t'i bëjë të jetojnë rehatshëm.

Më kujtohet rasti i një studenti, të cilit i ishte thënë që duhej të krijonte në mendje një pasqyrë të qartë të gjërave që dëshironte, që mendimi krijues i tij të projektohej në Substancën e Paformë. Ishte shumë i varfër. Jetonte në një shtëpi me qira me ato që fitonte nga dita në ditë dhe nuk arrinte ta kuptonte faktin se e gjithë pasuria ishte e tija.

Kështu, pasi e mendoi mirë, vendosi të kërkonte, arsyeshëm, një tapet të ri më të mirë për dyshemenë e dhomës së tij dhe një sobë me qymyr për të ngrohur shtëpinë kur bënte ftohtë. Duke ndjekur udhëzimet e dhëna në këtë libër, i fitoi këto gjëra brenda pak muajsh dhe pastaj mendoi se nuk kishte kërkuar sa duhet. E mendoi mirë shtëpinë ku jetonte dhe planifikoi të gjitha përmirësimet që donte të bënte; shtoi mendërisht një dritare këtu dhe një dhomë atje, derisa në mendje krijoi shtëpinë e vet ideale. Më pas planifikoi edhe orenditë.

Me imazhin në mendje nisi të jetonte në një Mënyrë të Sigurt, duke përparuar drejt asaj që donte. Tani e zotëron shtëpinë dhe po e rindërton sipas formës së imazhit të tij mendor dhe me besim akoma më të madh do të marrë gjëra edhe më të mëdha. Kjo erdhi nga besimi i tij; kështu është edhe me ty e me të gjithë ne.

## KREU 7
## MIRËNJOHJE

Ilustrimet e dhëna në kapitullin e fundit i kanë përcjellë lexuesit faktin se hapi i parë drejt pasurimit është ta përçosh idenë e dëshirave te Substanca e Paformë.

Kjo është e vërtetë dhe do e shohësh se për ta bërë këtë është e nevojshme të lidhesh me Inteligjencën e Paformë në mënyrë harmonike.

Sigurimi i kësaj marrëdhënieje harmonike është çështje e një rëndësie kaq parësore dhe jetike saqë do i kushtoj pak më tepër hapësirë diskutimit këtu dhe do të jap udhëzime, të cilat, nëse do t'i ndjekësh, është e sigurt se do të të vendosin në unitet të përsosur me mendjen e Zotit.

I gjithë procesi i përshtatjes dhe sinkronizimit mendor mund të përmblidhet në një fjalë të vetme: MIRËNJOHJE. Së pari, beso se ekziston një Substancë Inteligjente nga e cila krijohet gjithçka. Së dyti, beso se kjo Substancë të jep gjithçka që dëshiron dhe, së treti, ti lidhesh me të me një ndjenjë mirënjohjeje të thellë.

Shumë njerëz e rregullojnë jetën e vet me të drejtë në të gjitha aspektet e tjera dhe mbahen në varfëri nga mungesa e mirënjohjes. Pasi kanë marrë një dhuratë nga Zoti, i presin fijet që i lidhin me Të duke mos e njohur më.

Është e lehtë të kuptohet se sa më afër burimit të pasurisë të jetojmë, aq më shumë pasuri do të marrim dhe është po aq e lehtë të kuptohet se, shpirti që është gjithnjë mirënjohës, jeton në kontakt më të ngushtë me Zotin sesa ai që nuk e sheh kurrë me mirënjohje. Sa më shumë mirënjohje t'i japim Supremes kur na vijnë gjërat e mira, aq më shumë të mira do marrim dhe aq më shpejt do na vijnë. Arsyeja është thjesht se mirënjohja e mban mendjen më afër me burimin nga vijnë bekimet.

Nëse është një mendim i ri për ty ky, që mirënjohja ta sjell gjithë mendjen në një harmoni më të afërt me energjitë krijuese të universit, konsideroje mirë dhe do të shohësh se është e vërtetë.

Gjërat e mira të kanë ardhur deri tani me anë të zbatimit të disa ligjeve të veçanta. Mirënjohja do të të drejtojë mendjen te mënyrat me të cilat vijnë, do të të mbajë në harmoni me mendimin krijues dhe do të të parandalojë të biesh në mendimin konkurrues.

Vetëm mirënjohja mund të ta fokusojë shikimin drejt së Gjithës dhe të të pengojë të biesh në gabimin e të menduarit se furnizimi është i kufizuar, sepse kjo do të ishte fatale dhe e pashpresë. Ekziston një Ligj i Mirënjohjes, i cili duhet të respektohet në mënyrë absolute nëse do të marrësh rezultatet që kërkon.

Ligji i mirënjohjes mbështetet në parimin e natyrshëm se veprimi dhe reagimi janë gjithmonë të barabartë e në kahe të kundërta.

Ndjenja e thellë e mirënjohjes drejt Supremes, në një lavdërimin falënderues, është një çlirim ose përdorim i forcës që nuk mund të mos e arrijë atë që i është drejtuar; reagimi është një lëvizje e menjëhershme drejt teje.

"Afrojuni Zotit dhe Ai do t'ju afrohet". Kjo është një deklaratë e së vërtetës psikologjike. Dhe, nëse mirënjohja është e fortë dhe e vazhdueshme, reagimi në Substancën e Paformë do të jetë i fortë e i vazhdueshëm; ecja e gjërave që dëshiron do të jetë gjithmonë drejt teje. Vër re qëndrimin mirënjohës që mban Jezusi kur gjithmonë thotë se: "Të falënderoj që më dëgjon At!". Nuk mund të ushtrosh shumë pushtet pa mirënjohje, sepse është mirënjohja që të mban të lidhur me Fuqinë.

Por vlera e mirënjohjes nuk konsiston vetëm në marrjen e më shumë bekimeve në të ardhmen. Pa mirënjohjen nuk mund të rrish gjatë larg mendimit të pakënaqësisë se gjërat janë siç janë.

Në momentin që lejon mendjen të endet në pakënaqësitë për situatën e tanishme, fillon të humbasësh terren. Po e fokusove vëmendjen tek e zakonshmja, banalja, e varfra, e mjera dhe e keqja, mendja do të të marrë formën e këtyre gjërave. Do i transmetosh këto forma ose imazhe mendore te e Paforma dhe e zakonshmja, e varfra, e mjera dhe e liga do të të vijnë pranë.

Të lejosh mendjen të shëtisë mes inferioritetit do të thotë të bëhesh inferior e të rrethohesh me gjëra inferiore. Nga ana tjetër, të drejtosh vëmendjen te më e mira, është ta rrethosh veten me më të mirën dhe të bëhesh më i mirë.

Fuqia Krijuese brenda nesh na bën të jemi imazhi i asaj, së cilës i kushtojmë vëmendjen. Ne jemi Substancë Menduese dhe Substanca Menduese merr gjithmonë formën e asaj që mendon. Mendja mirënjohëse fokusohet vazhdimisht mbi më të mirën, ndaj tenton të bëhet më e mirë; merr formën ose karakterin e më së mirës dhe pret e merr më të mirën. Gjithashtu, besimi lind nga mirënjohja. Mendja mirënjohëse pret vazhdimisht gjëra të mira dhe pritja bëhet besim. Reagimi i mirënjohjes mbi vetë mendjen e dikujt prodhon besim dhe çdo valë falënderimi rrit besimin. Ai që nuk ndjen mirënjohjeje nuk mund të mbajë gjatë një besim të gjallë dhe pa besimin e gjallë nuk mund të pasurohesh me metodën krijuese, siç dhe do ta shohim në kapitujt vijues.

Është e nevojshme, pra, të kultivosh zakonin e të qenit mirënjohës për çdo gjë të mirë që të vjen dhe të falënderosh vazhdimisht.

Për shkak se gjithçka ka kontribuar në përparimin tënd, duhet të përfshish gjithçka edhe në mirënjohje.

Mos humb kohë duke menduar ose folur për mangësitë ose veprimet e gabuara të plutokratëve ose manjatëve të biznesit. Organizimi që ata i kanë bërë botës të ka dhënë këto mundësi dhe gjithçka që merr me të vërtetë të vjen për shkak të tyre.

Mos u zemëro me politikanët e korruptuar; nëse nuk do të ishin politikanët, do binim në anarki dhe mundësitë do të pakësoheshin shumë. Zoti ka punuar një kohë të gjatë e me shumë durim të na sjellë këtu ku jemi në industri dhe qeverisje, si dhe po vazhdon drejt me punën e Tij. Nuk ka dyshim se Ai do t'i shfarosë plutokratët, manjatët e ekonomisë dhe industrive, si edhe politikanët sapo të mos i duhen më, por, ndërkohë, të gjithë kanë vlerat e tyre të mira. Mos harro se të gjithë ata po ndihmojnë duke rregulluar linjat e transmetimit, përgjatë të cilave do të të vijnë pasuritë, ndaj duhet të jesh mirënjohës ndaj të gjithëve. Kjo do të të sjellë në marrëdhënie harmonike me të mirën në gjithçka dhe e mira në gjithçka do të vijë drejt teje.

## KREU 8
## TË MENDOSH NË
## MËNYRË TË SIGURT

**K**thehu përsëri në kapitullin 6 dhe rilexo historinë e njeriut që formoi një imazh mendor të shtëpisë së tij. Do të krijosh një ide të drejtë të hapit fillestar drejt pasurimit. Duhet të krijosh një imazh të qartë dhe të kthjellët mendor të asaj që dëshiron; nuk mund të transmetosh një ide, që nuk e ke as vetë.

Duhet ta kesh para se ta japësh. Shumë njerëz nuk arrijnë të projektojnë mbi Substancën Menduese, sepse kanë veç një koncept të paqartë dhe të mjegullt të gjërave që duan të bëjnë, të kenë apo të bëhen.

Nuk mjafton të kesh një dëshirë të përgjithshme për pasuri "për të bërë mirë"; të gjithë e kanë këtë dëshirë. Nuk mjafton të kesh dëshirën të udhëtosh, të shohësh, të jetosh më shumë, etj. Të gjithë i kanë, gjithashtu, këto dëshira. Nëse do i dërgosh një telegram një miku, nuk do t'i dërgosh shkronjat e alfabetit sipas radhës, duke ia lënë në dorë atij të ndërtojë mesazhin, as nuk do të marrësh fjalë të rastësishme nga fjalori. Do t'i dërgosh një mesazh të qartë, që ka kuptim. Kur përpiqesh të projektosh dëshirat mbi Substancën, mos harro se kjo duhet të bëhet me një deklaratë koherente dhe të saktë; duhet të dish se çfarë do dhe të jesh i prerë. Nuk mund të pasurohesh kurrë ose do të vësh fuqinë krijuese në veprim, duke dërguar dëshira të paformuara e të paqarta.

Mendoji mirë dëshirat, si njeriu që përshkrova më parë mendoi për shtëpinë e tij. Shiko në mendje veç atë që dëshiron dhe krijo një imazh të qartë mendor të saj, ashtu siç e dëshiron të duket kur ta marrësh.

Këtë imazh të qartë mendor duhet ta kesh vazhdimisht në mendje, si marinari që ka në mendje portin drejt të cilit po lundron. Duhet ta mbash shikimin drejt saj gjatë gjithë kohës. Nuk duhet ta humbësh vëmendjen ndaj saj, ashtu si timonieri nuk heq vëmendjen nga busulla.

S'është e nevojshme të bësh ushtrime për përqendrim mendor, të caktosh një kohë të veçantë për lutje apo afirmim, të "hysh në heshtje e meditim" e as të bësh marifete magjike e okulte të çdo lloji. Atje gjërat shkojnë mjaft mirë pa këto; gjithçka të nevojitet është të dish se çfarë dëshiron dhe ta dëshirosh aq sa të të ngulitet në mendime.

Kalo sa më shumë kohë pushimi të mundesh, duke u përqendruar në imazhin që ke, por askush nuk ka nevojë të bëjë ushtrime të fokusojë mendjen në një gjë që e dëshiron vërtet. Veç gjërat që nuk të interesojnë vërtet kërkojnë përpjekje për ta mbajtur vëmendjen mbi to.

Duhet që, nëse vërtet dëshiron të bëhesh i pasur, dëshira të jetë aq e fortë sa t'i mbajë mendimet e tua drejtuar qëllimit, siç mban poli magnetik gjilpërën e busullës, ndryshe vështirë se do të ketë vlerë përpjekja për të zbatuar udhëzimet e këtij libri.

Metodat e paraqitura këtu janë për njerëzit, dëshira e të cilëve për pasuri është aq e fortë sa të kapërcejnë përtacinë mendore dhe dëshirën për lehtësi dhe t'i bëjë të punojnë. Sa më të qartë e krijon imazhin e asaj që do dhe sa më shumë rri me të, duke ia qartësuar detajet e mrekullueshme, aq më e fortë do të jetë dëshira dhe sa më e fortë të jetë dëshira, aq më lehtë do ta kesh ta mbash mendjen të fiksuar në imazhin e asaj që dëshiron. Por duhet edhe diçka më shumë sesa thjesht të shohësh qartë imazhin. Nëse kjo është gjithçka bën, je veç një ëndërrimtar dhe do të kesh pak ose aspak fuqi për arritje.

Pas vizionit tënd të qartë duhet të jetë qëllimi për ta realizuar; për ta nxjerrë e ta bërë të prekshëm. Pas këtij qëllimi duhet të jetë një BESIM i pathyeshëm dhe i palëkundur se gjëja është tashmë e jotja; se është "pranë" dhe s'të mbetet tjetër veç ta marrësh në zotërim. Jeto në shtëpinë e re, mendërisht, derisa të formohet edhe fizikisht rreth teje. Hyr me imagjinatë një pas një në kënaqësinë e plotë të gjërave që dëshiron. "Çfarëdo të kërkosh kur lutesh, besoje se do t'i marrësh dhe do i kesh", thotë Jezusi. Shih gjërat që dëshiron sikur të ishin vërtet rreth teje gjatë gjithë kohës. Shihe veten si zotërues dhe përdorues të tyre. Përdori me imagjinatë ashtu si do t'i përdorësh kur të jenë pasuritë e tua të prekshme. Rri në këtë imazh mendor derisa të jetë i qartë dhe i pastër dhe pastaj merr Qëndrimin Mendor të Pronësisë ndaj gjithçkaje në atë imazh. Merr posedimin e tij në mendje, me besimin e plotë se është me të vërtetë i yti. Mbaje këtë pronësi mendore; mos hiq dorë për asnjë çast nga besimin se është i vërtetë.

Rikujto atë që u tha në një kapitull të mëparshëm rreth mirënjohjes: ji aq mirënjohës për të gjatë gjithë kohës që e pret, aq sa do jesh kur të marrë formë. Njeriu që mund të falënderojë sinqerisht Zotin për gjërat që ende i zotëron veç në imagjinatë, ka besim të vërtetë. Ai do të pasurohet; do të shkaktojë krijimin e çfarëdo gjëje që dëshiron. Nuk ke nevojë të lutesh vazhdimisht për gjërat që dëshiron; s'është e nevojshme t'i flasësh Zotit për to çdo ditë. "Mos bëj përsëritje të kota siç bëjnë paganët", u thotë Jezusi nxënësve të tij, "sepse Ati juaj e di që keni nevojë për ato gjëra para se t'i kërkoni".

Pjesa jote është të formulosh në mënyrë inteligjente dëshirën për gjërat që krijojnë një jetë më të plotë dhe t'i organizosh këto dëshira në një tërësi koherente. Pastaj ta projektosh këtë Dëshirë të Plotë mbi Substancën e Paformë, që ka fuqinë dhe vullnetin të të sjellë atë që dëshiron.

Nuk e projekton dot imazhin duke përsëritur vargje fjalësh, por e bën duke mbajtur vizionin me QËLLIMIN e palëkundur se do ta arrish dhe me BESIM të patundur që do ta marrësh.

Përgjigja e lutjes nuk vjen me besimin kur flet,

por me besimin kur punon. Nuk mund të bësh përshtypje në mendjen e Zotit duke ndarë një ditë të veçantë për t'i thënë Atij se çfarë do dhe të harrosh gjatë pjesës tjetër të javës. Nuk mund t'i bësh përshtypje duke pasur ca orë të veçanta kur hyn në dollap dhe lutesh, nëse më pas e heq çështjen nga mendja derisa të vijë përsëri ora e lutjes. Lutja verbale është mjaft e mirë dhe ka efektin e saj, veçanërisht mbi veten tuaj, në sqarimin e vizionit dhe forcimin e besimit, por nuk janë peticionet verbale që të sjellin atë që dëshiron. Që të pasurohesh nuk ke nevojë për një "orë të ëmbël lutjeje"; duhet të "lutesh pa pushuar". Dhe me lutje dua të them mbajtjen e qëndrueshme të vizionit, me qëllim që të shkaktosh krijimin e tij në formë solide dhe besimin se do e bësh. "Beso e do t'i marrësh".

E gjithë kjo kthehet në marrje pasi të kesh formuar qartë vizionin tënd. Kur ta kesh formuar, është mirë të bësh një deklaratë me zë, duke iu drejtuar Supremes me një lutje nderimi. Nga ai moment duhet, në mendje, të marrësh atë që kërkon. Jeto në shtëpinë e re, vish rrobat e hijshme, udhëto me makinë, shko në udhëtime e planifiko me besim për udhëtime akoma më të mëdha. Mendo dhe fol për të gjitha gjërat që ke kërkuar sikur t'i kesh aktualisht. Imagjino një mjedis dhe gjendje financiare saktësisht siç i dëshiron dhe jeto gjatë gjithë kohës në atë mjedis imagjinar dhe gjendje financiare. Megjithatë, nuk duhet ta bësh këtë si një ëndërrimtar dhe ndërtues i kështjellave të rërës; mbaj BESIMIN se imagjinarja po realizohet dhe QËLLIMIN që ta realizosh. Mos harro se është besimi dhe qëllimi në përdorimin e imagjinatës që bëjnë diferencën mes shkencëtarit dhe ëndërrimtarit. Pasi e ke mësuar këtë fakt, është pikërisht këtu ku do të mësosh përdorimin e duhur të Vullnetit.

KREU 9 - Si ta përdorësh vullnetin

Që të pasurohesh në mënyrë shkencore nuk duhet të përpiqesh të aplikosh fuqinë e vullnetit mbi asgjë jashtë vetes.

Nuk ke as të drejtë ta bësh. Është e gabuar të përdorësh vullnetin tënd mbi të tjerët, që t'i bësh të bëjnë atë që dëshiron. Është po aq e gabuar të detyrosh njerëzit me anë të fuqisë mendore, sa ç'është t'i detyrosh me anë të forcës fizike. Nëse detyrimi me forcë fizike për të bërë gjëra, i vendos ata në skllavëri, detyrimi me mjete mendore arrin saktësisht të njëjtën gjë; i vetmi ndryshim është metoda. Nëse marrja e gjërave nga njerëzit me forcë fizike është grabitje edhe marrja e gjërave me forcë mendore është grabitje; nuk ka asnjë ndryshim në parim. Nuk ke të drejtë të përdorësh fuqinë e vullnetit mbi një person tjetër, madje as "për të mirën e tij", sepse nuk mund ta dish se çfarë është në të mirë të tij. Shkenca e pasurimit nuk të kërkon të aplikosh fuqi apo forcë ndaj çdokujt tjetër, absolutisht, në asnjë mënyrë. Nuk është as nevoja më e vogël për ta bërë këtë dhe, në të vërtetë, çdo përpjekje për të ushtruar vullnetin tënd ndaj të tjerëve do të bëjë veç mposhtjen e qëllimit që ke.

Nuk ke nevojë të aplikosh vullnetin tënd mbi gjërat, që t'i detyrosh të të vijnë. Kjo do ish thjesht një përpjekje për të detyruar Perëndinë; do ish një budallallëk i padobishëm, si dhe i parespekt. Nuk ke pse detyron Zotin të të japë gjëra të mira më shumë sesa ç'duhet dhe të përdorësh fuqinë tënde të vullnetit për të bërë diellin të lindë.

Nuk ke pse përdor fuqinë e vullnetit për të bindur një perëndi jomiqësore apo ndonjë forcë të mbinatyrshme të bëjë atë që do.

Substanca është miqësore dhe ka më shumë dëshirë të të japë atë që dëshiron sesa vetë ti që e do. Për t'u pasuruar duhet të përdorësh vetëm vullnetin mbi veten. Kur e di se ç'duhet të mendosh apo të bësh, duhet të përdorësh vullnetin, ta detyrosh veten të mendojë dhe të bëjë gjërat e duhura. Ky është përdorimi i ligjshëm i vullnetit që të arrish atë që dëshiron, pra do përdorur që ta mbash veten në rrugën e duhur. Përdor vullnetin që ta mbash veten në idenë se duhet menduar dhe vepruar në një Mënyrë të Sigurt.

Mos u përpiq të projektosh vullnetin apo mendimet e tua në hapësirë që të "veprojnë" mbi gjërat apo njerëzit. Mbaj mendjen në të tashmen, ku mund të arrijë më shumë se gjetkë.

Përdor mendjen të formosh një imazh të asaj që dëshiron dhe ta mbash atë vizion me besim dhe këmbëngulje. Përdor vullnetin që ta mbash mendjen në punë dhe në Mënyrën e Duhur.

Sa më të qëndrueshëm dhe të vazhdueshëm

ta kesh besimin dhe qëllimin aq më shpejt do pasurohesh, sepse do të bësh vetëm projektime Pozitive mbi Substancën dhe nuk do t'i neutralizosh ose kompromentosh me ide negative.

Imazhi i dëshirave, që e mban me besim dhe këmbëngulje, merret nga e Paforma, që e përçon në distanca të mëdha - në gjithë universin. Kur ky projektim përhapet, gjithçka nis lëviz drejt realizimit të imazhit; çdo gjë e gjallë, çdo gjë e pajetë dhe gjërat akoma të pakrijuara nxiten të sjellin në jetë atë që dëshiron. E gjithë forca fillon të ushtrohet në atë drejtim dhe gjithçka nis të lëvizë drejt teje. Mendjet e njerëzve, kudo, ndikohen të bëjnë ç'është e nevojshme për përmbushjen e dëshirave të tua; punojnë për të në mënyrë të pavetëdijshme.

Mund të kontrolloni nëse është kështu apo jo duke projektuar një përshtypje negative në Substancën e Paformë. Dyshimi ose mosbesimi i shtyjnë gjërat larg teje po aq sa edhe besimi dhe qëllimi i tërheqin gjërat drejt teje. Kjo është arsyeja pse shumica e njerëzve, që përpiqen të përdorin "shkencën mendore" në pasurim, dështojnë. Çdo orë dhe moment që kalon duke i kushtuar vëmendje dyshimeve dhe frikës, çdo orë që kalon me shqetësim, çdo orë që shpirti të pushtohet nga mosbesimi, drejton larg teje rrjedhën e Substancës Inteligjente. Premtimet janë për ata që besojnë dhe veç për ta. Vër re se sa këmbëngulës ishte Jezusi në këtë pikë për besimin; tani e di arsyen pse.

Meqenëse besimi është tepër i rëndësishëm, të kuron të ruash mendimet, pasi bindjet do të të formohen në një masë shumë të madhe nga gjërat që vëzhgon dhe mendon. Është e rëndësishme të bësh kujdes. Këtu hyn vullneti në përdorim, sepse me vullnetin vendos se mbi cilat gjëra do të përqendrosh vëmendjen.

Nëse do të pasurohesh, nuk duhet të studiosh varfërinë.

Gjërat nuk krijohen duke menduar për të kundërtat e tyre. Shëndeti nuk mbahet duke studiuar apo menduar për sëmundjen; drejtësia nuk promovohet duke studiuar e menduar për mëkatin dhe askush nuk është pasuruar duke studiuar e menduar për varfërinë.

Mjekësia si shkencë e sëmundjeve i ka shtuar sëmundjet, feja si shkencë e mëkatit ka promovuar më shumë mëkat dhe ekonomia si një studim i varfërisë do ta mbushë botën me mjerim dhe skamje.

Mos fol për varfërinë, mos e heto e as mos u shqetëso për të. Mos e vrit mendjen se cilat janë shkaqet e saj, sepse nuk lidhen me ty.

Ajo që të duhet është shërimi. Mos harxho kohën me bamirësi apo organizata bamirëse, sepse bamirësia veç përjetëson mjerimin që synon të zhdukë.

Nuk them se duhet të jesh zemërkeq apo i pamëshirshëm dhe të refuzosh të dëgjosh thirrjet për ndihmë, por nuk duhet të përpiqesh të zhdukësh varfërinë me asnjë nga mënyrat konvencionale. Lëre varfërinë mbrapa, hidh gjithçka që lidhet me të dhe veç "bëj mirë".

Pasurohu: kjo është mënyra më e mirë të ndihmosh të varfrit. Por nuk mund ta ruash imazhin mendor që do të të bëjë të pasur nëse mbush mendjen me imazhe varfërie. Mos lexo libra apo gazeta që tregojnë për gjendjen e keqe të banorëve diku, për tmerret e punës së fëmijëve e të tjera si këto. Mos lexo asgjë që të mbush mendjen me imazhe të zymta skamjeje dhe vuajtjesh.

Nuk mund t'i ndihmosh të varfrit thjesht duke i ditur këto gjëra dhe përhapja e njohurive për to nuk bën aspak të lehtësohet varfëria.

Ajo që bën të largojë varfërinë nuk është mbushja e mendjes tënde me imazhet e varfërisë, por futja e imazheve të pasurisë në mendjet e të varfërve.

Nuk i braktis të varfrit në mjerimin e tyre kur nuk pranon të mbushësh mendjen me imazhet e skamjes.

Varfëria nuk mund të shuhet duke rritur numrin e njerëzve të mirë që mendojnë për varfërinë, por duke rritur numrin e njerëzve të varfër që synojnë të pasurohen me besim.

Të varfrit nuk kanë nevojë për bamirësi, por për frymëzim. Bamirësia thjesht u jep një copë bukë që t'i mbajë gjallë në mjerimin e tyre apo u krijon një argëtim që të harrojnë mjerimin për pak orë, ndërsa frymëzimi do i bëjë të dalin nga mjerimi. Nëse do të ndihmosh të varfrit, demonstroja se edhe ata mund të bëhen të pasur; provoja duke u pasuruar vetë. E vetmja mënyrë që do largojë varfërinë ndonjëherë nga kjo botë është duke bërë që një numër i madh e në rritje njerëzish të praktikojnë mësimet e këtij libri.

Njerëzit duhet të mësohen të bëhen të pasur nëpërmjet krijimtarisë, jo konkurrencës.

Çdo njeri që bëhet i pasur nga konkurrenca rrëzon pas vetes shkallën me të cilën është ngjitur dhe i mban të tjerët poshtë. Nga ana tjetër, çdo njeri që pasurohet nga krijimi hap rrugën që ta ndjekin mijëra të tjerë dhe i frymëzon të ecin para.

Nuk tregon zemërngurtësi apo pandjeshmëri kur refuzon ta mëshirosh varfërinë, ta shohësh, të lexosh, të mendosh e të flasësh për të apo kur dëgjon të tjerët të flasin rreth saj. Përdor fuqitë e vullnetit ta mbash mendjen jashtë temës së varfërisë dhe ta fokusosh të fiksuar me besim dhe këmbëngulje në vizionin e asaj që dëshiron të arrish.

# KREU 10
## PËRDORIMI I MËTEJSHËM
## I VULLNETIT

Nuk mund të mbash një vizion të vërtetë dhe të qartë të pasurisë nëse kthen vazhdimisht vëmendjen te imazhet e kundërta, qofshin ato të jashtme apo imagjinare. Mos trego për problemet financiare të së kaluarës; nëse i ke pasur, mos i mendo fare. Mos trego për varfërinë e prindërve apo vështirësitë e jetës së mëhershme; këto mendime të bëjnë të klasifikohesh mendërisht me të varfrit, për momentin, dhe kjo do të pengojë lëvizjen e gjërave në drejtimin tënd. "Lërini të vdekurit të varrosin të vdekurit e tyre", thotë Jezusi. Hidh plotësisht pas krahëve varfërinë dhe të gjitha gjërat që lidhen me të.

Pasi e ke pranuar këtë teori mbi universin si të saktë dhe mbështet të gjitha shpresat për lumturi në të qenët e saj korrekte, ç'mund të fitosh nëse i kushton vëmendje teorive kontradiktore?

Mos lexo libra fetarë që thonë se bota së shpejti do marrë fund dhe mos lexo shkrimet e sharlatanëve dhe filozofëve pesimistë, që thonë se gjithçka po shkon në djall.

Bota nuk po shkon në djall, po shkon drejt Zotit. Po bëhet e mrekullueshme.

Vërtet mund të ketë shumë gjëra të papranueshme në kushtet aktuale, por çfarë dobie ka studimi i tyre kur pak nga pak po ikin dhe kur i studion tenton vetëm t'ua pengosh largimin e t'i mbash pranë nesh? Pse t'u kushtosh kohë dhe vëmendje gjërave që po largohen nga rritja evolucionare, kur mund ta shpejtosh ikjen e tyre duke promovuar zhvillimin për aq sa i takon pjesës tënde? Pavarësisht se sa të tmerrshme mund të jenë kushtet në disa vende apo pjesë të caktuara të botës, humbet kohën kot dhe shkatërron shanset e tua tek i konsideron.

Interesi yt i vetëm duhet të jetë që bota të bëhet e pasur.

Mendo për pasuritë që po vijnë në botë, jo për varfërinë nga po dilet. Mbaj parasysh se e vetmja mënyrë me të cilën mund ta ndihmosh botën është duke u pasuruar vetë përmes metodës krijuese e jo asaj konkurruese.

Jepi plotësisht vëmendje pasurisë dhe injoro varfërinë. Kur mendon ose flet për ata që janë të varfër, mendo dhe fol si për njerëz që po bëhen të pasur, që duhet të përgëzohen e jo të mëshirohen. Atëherë, ata dhe të tjerët do frymëzohen dhe do kërkojnë rrugëdalje.

Edhe pse them se duhet t'ia dedikosh gjithë kohën dhe vëmendjen mendimit të pasurimit, nuk do të thotë se duhet të bëhesh i keq apo i pamëshirshëm.

Të bëhesh vërtet i pasur është qëllimi më fisnik që mund të kesh në jetë, sepse përmbledh gjithçka tjetër.

Në planin konkurrues, lufta për t'u pasuruar është një përleshje e pamëshirshme për pushtet mbi të tjerët, por, kur mbështetemi në mendjen krijuese, gjithçka ndryshon. Gjithë sa është e mundur në rrugën e madhështisë dhe shpalosjes së shpirtit, të shërbimit dhe lartësimit, vjen përmes pasurimit, sepse, gjithçka bëhet, mundësohet përmes përdorimit të gjërave. Nëse nuk ke shëndet fizik do të zbulosh se arritja e tij është e kushtëzuar nga pasurimi. Vetëm ata që kanë kaluar përtej shqetësimeve financiare i kanë mjetet të jetojnë një ekzistencë të qetë e të ndjekin një jetë të pastër, mund ta kenë dhe ruajnë shëndetin.

Madhështia morale dhe shpirtërore është e mundur vetëm për ata që janë mbi betejën konkurruese për ekzistencë dhe vetëm ata që pasurohen përmes mendimit krijues janë të lirë nga ndikimet degraduese të konkurrencës. Nëse zemra të dëshiron lumturinë familjare, mos harro se dashuria lulëzon më së miri atje ku ka përsosje, një nivel të lartë mendimi dhe liri nga ndikimet korruptuese. Këto mund të gjenden vetëm atje ku pasuria arrihet nga ushtrimi i mendimit krijues, pa grindje e rivalitet.

Nuk mund të synosh asgjë më të madhe apo fisnike, e përsëris, sesa të bëhesh i pasur. Ndaj duhet ta fiksosh vëmendjen mbi imazhet mendore të pasurisë dhe të përjashtosh gjithçka që priret ta zbehë ose errësojë vizionin.

Duhet të mësosh të shohësh të VËRTETËN themelore në gjithçka e të shohësh përtej të gjitha kushteve në dukje të gabuara, që Një Jetë e Madhe ecën para drejt shprehjes dhe lumturisë më të plotë. E vërteta është se nuk ekziston varfëria, se ka vetëm pasuri.

Plot njerëz jetojnë në varfëri, sepse nuk e dinë faktin se ka pasuri edhe për ta. Kjo mund t'u mësohet më së miri duke i treguar rrugën e pasurimit. Të tjerë janë të varfër edhe pse e dinë se ka një rrugëdalje, por janë tepër të mefshtë intelektualisht për të bërë përpjekjet e nevojshme mendore që të gjejnë mënyrën të ecin në rrugën e duhur. Për këta, gjëja më e mirë që mund të bësh është t'ia zgjosh dëshirat duke u treguar lumturinë që vjen nga të qenit me të drejtë i pasur.

Të tjerë akoma janë të varfër, sepse, edhe pse kanë një farë nocioni mbi shkencën e pasurimit, janë zhytur dhe kanë humbur në labirintin e teorive metafizike dhe okulte, saqë nuk dinë më se cilën rrugë duhet të ndjekin. Provojnë një përzierje të shumë sistemeve dhe dështojnë gjithnjë. Edhe për këta, gjëja më e mirë që mund të bësh është t'u tregosh mënyrën e duhur përmes personit dhe shembullit tënd; një gram e bërë vlen sa një kile teori. Më e mira që mund të bësh për botën është të arrish sa më shumë nga vetja.

Nuk mund t'i shërbesh Zotit dhe njeriut në asnjë mënyrë tjetër më efikase sesa duke u pasuruar, por nëse pasurohesh me metodën krijuese dhe jo me atë konkurruese. Pohojmë që ky libër jep në detaje parimet e shkencës së pasurimit dhe, nëse kjo është e vërtetë, s'ke nevojë të lexosh tjetër libër mbi këtë temë. Kjo mund të tingëllojë e ngushtë dhe egoiste, por mbaj parasysh se, p.sh, nuk ka metodë më shkencore të llogaritjes në matematikë sesa mbledhja, zbritja, shumëzimi dhe pjesëtimi. Mund të ketë veç një distancë më të shkurtër midis dy pikave. Ekziston vetëm një mënyrë për të menduar shkencërisht dhe ajo është të mendosh në mënyrën që të çon në rrugën më të drejtpërdrejtë dhe më të thjeshtë drejt qëllimit. Askush nuk ka formuluar ende një "sistem" më të shkurtër ose më pak kompleks sesa ky i paraqitur në këtë libër, sepse është zhveshur nga të gjitha jo-thelbësoret. Kur të fillosh me këtë, lëri gjithë të tjerat mënjanë; hiqi fare nga mendja.

Lexoje këtë libër çdo ditë, mbaje me vete, ngule mirë në kujtesë dhe mos mendo për "sisteme" dhe teori të tjera. Nëse nuk e bën, do fillosh të krijosh dyshime, të ndihesh i pasigurt, i lëkundur në mendime dhe sigurisht që do nisin dhe dështimet.

Pasi ke bërë gjithë sa duhet dhe je i pasur, mund të studiosh sa të duash mbi sistemet e tjera. Por, derisa të jesh i sigurt që ke fituar atë që dëshiron, mos lexo asnjë rresht nga libra të tjerë, përveç autorëve të përmendur në Parathënie.

Lexo veç komentet më optimiste në lajmet e botës; ato që janë në harmoni me imazhin që ke në mendje. Gjithashtu, mos u merr tani për tani me studime mbi okulten. Mos u zhyt në teozofi, spiritualizëm apo studime të ndriçimit personal. Ka shumë të ngjarë që të vdekurit jetojnë akoma dhe janë pranë, por, edhe nëse janë, lëri të qetë e shiko punën tënde. Kudo qofshin, shpirtrat e të vdekurve kanë punën e vet dhe problemet e tyre. Nuk kemi të drejtë të ndërhyjmë në to. Nuk mund t'i ndihmojmë dhe është tepër e dyshimtë nëse mund të na ndihmojnë apo nëse kemi ndonjë të drejtë të fusim hundët në hallet e tyre. Lëri të vdekurit dhe botën tjetër rehat dhe zgjidh problemet e tua:

pasurohu! Nëse fillon të përzihesh me okulten, do zhytesh në rryma mendore që me siguri do të të thyejnë gjithë shpresat. Tani, ky dhe kapitujt paraardhës na kanë sjellë në deklaratën e fakteve themelore në vijim:

Ekziston një Substancë Menduese, nga e cila janë bërë të gjitha gjërat dhe që në gjendjen e saj origjinale hyn, depërton dhe mbush gjithë ndërhapësirat e universit. Një mendim, në këtë substancë, prodhon sendin që është imagjinuar nga mendimi.

Njeriu mund të krijojë gjëra në mendimet e veta dhe, duke i projektuar këto mendime mbi Substancën e Paformë, mund të bëjë që të krijohet ajo gjë që ai mendon. Për ta arritur këtë, njeriu duhet të kalojë nga mendësia konkurruese në atë krijuese; duhet të formojë një imazh të qartë mendor të gjërave që dëshiron dhe ta mbajë këtë imazh në mendimet e tij me KËMBËNGULJE që të marrë atë që dëshiron, si dhe me BESIMIN e palëkundur se do ta marrë atë që do, duke hequr mendjen nga gjithçka që mund t'ia lëkundë qëllimin, t'i zbehë vizionin e t'i heqë besimin.

Përveç gjithë kësaj, tani do të shohim se njeriu duhet të jetojë dhe të veprojë në një Mënyrë të Sigurt.

# KREU 11
# TË VEPRUARIT NË NJË MËNYRË
# TË SIGURT

ENDIMI është fuqia krijuese ose forca shtytëse që bën fuqinë krijuese të veprojë. Të menduarit në një Mënyrë të Sigurt do të të sjellë pasuri, por nuk duhet të mbështetesh vetëm te mendimi, duke mos i kushtuar vëmendje veprimeve. Ky është shkëmbi mbi të cilin shumë mendimtarë shkencorë metafizikë rrëzohen: dështimi në lidhjen e mendimit me veprimin. Njerëzimi nuk ka arritur ende atë fazë zhvillimi, duke supozuar se një fazë e tillë është e mundur, në të cilën njeriu mund të krijojë drejtpërdrejt nga Substanca e Paformë, pa përdorur proceset e natyrës ose punën e duarve të veta. Njeriu, jo vetëm që duhet të mendojë, por veprimi i tij personal duhet të plotësojë ato që mendon.

Me mendim mund të bësh që ari në zemër të maleve të vijë drejt teje, por nuk do të gërmohet, pasurohet, shkrihet e derdhet në monedha e të rrokulliset përgjatë rrugëve drejt për drejt në xhepin tënd.

Nën fuqinë detyruese të Shpirtit Suprem, punët e njerëzimit do të rregullohen në atë mënyrë që dikush do të shfrytëzojë minierën e arit për ty dhe transaksione të tjera biznesi do të bëjnë që ari të vijë drejt teje, ndaj edhe ti duhet t'i rregullosh punët e tua të biznesit, që të jesh në gjendje ta marrësh kur të vijë pranë. Mendimi yt bën që gjithçka, e gjallë apo e pajetë, të punojë për të të sjellë atë që dëshiron, por aktiviteti yt personal duhet të jetë i tillë që të mund të marrësh me të drejtë kur të të vijë pranë. Nuk duhet ta marrësh si bamirësi apo ta vjedhësh; duhet t'i japësh çdokujt më shumë, në vlerë përdorimi, sesa po të jep në vlerë paraje. Përdorimi shkencor i mendimit konsiston në formimin e një imazhi të qartë dhe të mirëpërcaktuar të asaj që dëshiron, duke iu përmbajtur qëllimit për ta marrë atë që do dhe duke kuptuar me besim mirënjohës se po merr.

Mos u përpiq të projektosh mendimin në ndonjë mënyrë misterioze apo okulte, me idenë që do të shkojë e do bëjë gjëra për ty; kjo është përpjekje e kotë dhe do ta dobësojë fuqinë e mendimit të shëndoshë.

Veprimi i mendimit në pasurim shpjegohet plotësisht në kapitujt paraardhës. Besimi dhe qëllimi yt projekton pozitivisht vizionin që ke mbi Substancën e Paformë, e cila ka të njëjtën DESHIRË PËR MË SHUMË JETË si edhe ti. Ky vizion, i dërguar nga ti, vë në lëvizje të gjitha forcat krijuese PËRMES KANALEVE TË RREGULLTA TË VEPRIMIT, por që tani drejtohen nga ti.

Nuk është puna jote të drejtosh a mbikëqyrësh procesin krijues; gjithçka duhet të bësh, është të mbash vizionin tënd dhe t'i qëndrosh qëllimit e të ruash besimin dhe mirënjohjen.

Por të duhet të veprosh në një Mënyrë të Sigurt, që të mund të përvetësosh atë që është e jotja kur të vjen pranë, që të mund t'i njohësh gjërat që ke në imazh dhe t'i vësh në vendet e duhura kur të vijnë. Do ta shohësh të vërtetën e kësaj deklarate. Kur gjërat të të vijnë pranë, do të jenë në duart e të tjerëve, që do të kërkojnë diçka ekuivalente në këmbim.

Pra, mund të marrësh atë që është e jotja, veç duke i dhënë tjetrit atë që është e tija.

Portofoli yt nuk do të shndërrohet në një çantë magjike, gjithnjë e mbushur me para, pa asnjë mundim nga ana jote.

Kjo është pika kryesore në shkencën e pasurimit, ku mendimi dhe veprimi personal duhet të kombinohen. Ka plot njerëz që, në mënyrë të vetëdijshme apo të pavetëdijshme, vënë në veprim forcat krijuese nga fuqia dhe këmbëngulja e dëshirave të tyre, por që mbeten të varfër, sepse nuk sigurojnë mënyrën e marrjes së sendit që duan kur i vjen pranë.

Nga mendimi, gjëja që dëshiron të vjen, por duhet ta marrësh me veprim.

Çfarëdo qoftë veprimi që do bësh, është e qartë se duhet të veprosh TANI. Nuk mund të veprosh në të shkuarën, ndaj është thelbësore për qartësinë e vizionit tënd mendor ta heqësh të kaluarën nga mendja. Nuk mund të veprosh as në të ardhmen, sepse e ardhmja nuk është ende këtu. Për më tepër nuk mund të dish se si do të veprosh në çdo rast të ardhshëm, derisa ky të të ketë ardhur para syve.

Nëse nuk je në biznesin apo mjedisin e duhur, mos mendo se duhet të shtysh veprimin derisa të hysh në biznesin apo mjedisin e duhur. Mos harxho kohën në të tashmen me mendimet për zgjidhjen më të mirë për emergjencat e mundshme të ardhshme. Ki besim në aftësinë e tua për përmbushjen e çdo emergjence që mund të vijë.

Nëse vepron në të tashmen me mendjen tek e ardhmja, veprimi i tanishëm do të jetë me një mendje të ndarë dhe joefektiv.

Vër gjithë mendjen në shërbim të veprimit aktual. Mos i jep impulsin tënd krijues Substancës Origjinale dhe të ulesh e presësh rezultatet. Nëse bën këtë, nuk do marrësh kurrë asgjë. Vepro TANI! Nuk ka kohë tjetër veç të tashmes dhe kurrë nuk do të ketë kohë përveç se TANI. Nëse mezi pret të marrësh atë që dëshiron, duhet të fillosh TANI.

Dhe veprimi, cilido qoftë, ka shumë të ngjarë që duhet të jetë në biznesin apo punësimin e tanishëm dhe të bëhet me personat dhe gjërat në mjedisin ku je. Nuk mund të veprosh aty ku nuk je, aty ku ke qenë dhe aq më pak atje ku do të jesh. Mund të veprosh vetëm aty ku je tani. Mos u shqetëso nëse puna e djeshme u bë mirë apo keq; bëj mirë punën e sotme. Mos u përpiq të bësh punën e nesërme sot; do të ketë plot kohë ta bësh kur t'i vijë radha.

Mos u përpiq me mjete okulte ose mistike të

influencosh njerëzit ose gjërat që nuk janë nën kontrollin tënd. Mos prit për një ndryshim të mjedisit para se të veprosh, por ndryshoje vetë me veprim.

Duhet të veprosh si duhet në mjedisin ku je dhe të bësh të mundur të transferohesh në një mjedis më të mirë.

Mbaj me besim dhe këmbëngulje vizionin e vetes në një mjedis më të mirë, por vepro në mjedisin e tanishëm me gjithë zemër, me gjithë fuqitë dhe mendjen.

Mos harxho kohën në ëndërrime apo kështjella rëre, por mbaj në mendje vizionin e vetëm të asaj që dëshiron dhe vepro TANI.

Mos kërko kot ndonjë gjë të re ose ndonjë veprim të çuditshëm, të pazakontë apo të jashtëzakonshëm për ta pasur si hapin e parë drejt pasurimit. Është tejet e mundur që veprimet e tua, të paktën për ca kohë, do të jenë po ato që ke bërë deri tani, por duhet të fillosh në këtë moment t'i bësh gjërat në një Mënyrë të Sigurt, që me siguri do të të bëjë të pasur.

Nëse je i angazhuar në një biznes dhe mendon se nuk është i duhuri, mos prit derisa të hysh në biznesin e duhur para se të nisësh veprimin.

Mos u shkurajo dhe mos harxho kohën me ankesa se nuk je aty ku duhet. Askush nuk ka qenë në një vend aq të gabuar sa që të mos e gjente dot vendin e duhur. Askush nuk është përfshirë aq shumë në një biznes të gabuar sa që nuk do hynte dot në biznesin e duhur.

Mbaj fort vizionin e vetes në biznesin e duhur, me qëllim që të hysh në të, me besimin se do të hysh dhe se po hyn, por VEPRO në biznesin aktual. Përdor biznesin e tanishëm si mjet për të arritur një më të mirë dhe ambientin e tashëm si mjet për të shkuar në një akoma më të mirë. Vizioni yt për biznesin e duhur, nëse mbahet me besim dhe qëllim, do ta bëjë Supremen të shtyjë biznesin e duhur drejt teje dhe veprimet e tua, nëse kryhen në një Mënyrë të Sigurt, do të të bëjnë që edhe ti të lëvizësh drejt biznesit të duhur.

Nëse je një punëmarrës a rrogëtar dhe mendon se duhet të ndryshosh vend pune që të marrësh atë që dëshiron, mos "projekto" mendimin tënd në hapësirë duke shpresuar se do të të gjejë një punë tjetër. Ka shumë mundësi të mos ndodhë kështu. Mbaj vizionin e vetes në punën që do, ndërsa VEPRON me besim dhe qëllim në punën që ke dhe sigurisht që do marrësh atë që dëshiron.

Vizioni dhe besimi yt do vënë në lëvizje forcën krijuese që ta sjellë punën drejt teje dhe veprimet e tua do të bëjnë që forcat në mjedisin tënd të të shtyjnë drejt vendit që dëshiron. Në mbyllje të këtij kapitulli do të shtojmë një pohim tjetër në deklaratën tonë:

Ekziston një Substancë Menduese, nga e cila janë bërë gjitha gjërat dhe që në gjendjen e saj origjinale hyn, depërton dhe mbush ndërhapësirat e universit. Një mendim, në këtë substancë, prodhon sendin që imagjinohet nga mendimi.

71

Njeriu mund të formojë gjëra në mendimin e vet dhe, duke i projektuar këto mendime mbi Substancën e Paformë, mund të bëjë të krijohet gjëja që ka menduar. Por, që ta bëjë këtë, duhet të kalojë nga mentaliteti konkurrues në atë krijues, të krijojë një imazh të qartë mendor të gjërave që dëshiron dhe ta mbajë këtë imazh në mendimet e tij me KËMBËNGULJEN për të marrë atë që do dhe BESIMIN e palëkundur se do ta marrë atë që dëshiron, duke e hequr mendjen nga gjithçka që mund të tentojë t'i trondisë qëllimin, t'i zbehë vizionin ose t'i shuajë besimin. Që të mund të marrë atë që dëshiron, kur t'i vijë pranë, njeriu duhet të veprojë TANI mbi njerëzit dhe gjërat në mjedisin e tij aktual.

## KREU 12
## VEPRIM I EFEKTSHËM

**D**uhet t'i përdorësh mendimet siç u shpjegua në kapitujt e mëparshëm, të fillosh të bësh atë që mund të bësh aty ku je dhe, për më tepër, duhet të bësh GJITHÇKA mund të bësh atje ku je.

Mund të përparosh vetëm duke qenë më i madh se vendi ku je dhe gjithkush që lë pa bërë punët e tanishme nuk është më i madh se vendi ku ndodhet. Bota përparon vetëm nga ata që përmbushin më shumë se duhet pozicionin ku ndodhen.

Nëse askush nuk do përmbushë vendin e tij të tanishëm, mund të shihet se kudo do të ketë kthim mbrapa, në gjithçka. Ata që nuk përmbushin vendin e tyre janë barrë e vdekur për shoqërinë, qeverinë, tregtinë dhe industrinë. Duhet të barten nga të tjerët me një shpenzim të madh. Përparimi i botës vonohet vetëm nga ata që nuk i përmbushin vendet që mbajnë. U përkasin një epoke të mëparshme, një stadi apo niveli më të ulët të jetës dhe kanë si tendencë të shkojnë drejt degjenerimit. Asnjë shoqëri nuk mund të përparonte nëse çdo njeri do të ishte më i vogël se vendi i vet; evolucioni shoqëror udhëhiqet nga ligji i evolucionit fizik dhe mendor. Në botën e kafshëve, evolucioni shkaktohet nga teprimi i jetës.

Kur një organizëm ka më shumë jetë sesa mund të shprehë në funksionet e rrafshit të vet, zhvillon organe të reja të një rrafshi më të lartë, duke krijuar kështu një specie të re.

Kurrë nuk do të kishte pasur specie të reja po të mos kishte organizma që mbushnin më shumë se ç'duhet vendet e tyre. Ky ligj është saktësisht i njëjtë edhe për ty; pasurimi yt varet nga zbatimi i këtij parimi në punët e tua.

Një ditë është e suksesshme ose e dështuar dhe janë ditët e suksesshme ato që të sjellin atë që dëshiron. Nëse çdo ditë është e dështuar, nuk mund të pasurohesh kurrë; në të kundërt, nëse çdo ditë është e suksesshme, nuk mund të dështosh e do pasurohesh. Nëse mund të bëje diçka sot, por nuk e bëre, ke dështuar në qëllim dhe pasojat mund të jenë më katastrofike nga sa imagjinon.

Nuk mund të parashikosh rezultatet, qoftë edhe të akteve më të parëndësishme, sepse nuk i di lëvizjet e të gjitha forcave që janë vënë në veprim në emrin tënd. Shumëçka mund të varet nga kryerja e një veprimi të thjeshtë; mund të jetë mundësia e vërtetë që të hap derën për alternativa e mundësi më të mëdha. Kurrë nuk mund t'i dish të gjitha kombinimet që Inteligjenca Supreme po bën për ty në botën e gjërave dhe në lëvizjet njerëzore. Neglizhenca ose dështimi në bërjen e ndonjë gjëje të vogël mund të shkaktojë një vonesë të gjatë në marrjen e asaj që dëshiron.

Bëj, çdo ditë, GJITHË sa mund të bësh.

Megjithatë ka një kufizim ose kualifikim për sa më sipër, që duhet ta marrësh parasysh.

Nuk duhet të punosh më shumë se ç'duhet, as të nxitosh verbërisht në biznesin tënd, në përpjekje për të bërë sa më shumë të jetë e mundur në një kohë sa më të shkurtër. Nuk duhet të përpiqesh të bësh punën e nesërme sot, as atë të një jave në një ditë.

Në të vërtetë, me rëndësi nuk është numri i gjërave që bën, por EFIKASITETI i çdo veprimi të veçantë. Çdo veprim është në vetvete i suksesshëm ose i dështuar. Çdo veprim është, në vetvete, efektiv ose joefikas. Çdo veprim joefikas është dështim dhe nëse e kalon jetën në veprime joefikase, e gjitha do të jetë e dështuar.

Sa më shumë gjëra të bësh, aq më keq është, nëse gjithë veprimet janë joefikase.

Nga ana tjetër, çdo akt i efektshëm është një sukses në vetvete dhe nëse çdo veprim i jetës tënde është i efektshëm, e gjithë jeta DO JETË patjetër e suksesshme.

Shkaku i dështimit është të bësh shumë gjëra në mënyrë joefikase dhe të mos bësh mjaftueshëm në mënyrë efikase.

Do ta shohësh qartësisht se është një ide e vetëkuptueshme: nëse nuk bën veprime joefikase dhe bën një numër të mjaftueshëm veprimesh efikase, do të bëhesh i pasur. Nëse tani është e mundur të bësh që çdo akt të ketë një efekt efikas, do të shohësh se fitimi i pasurisë ripërcaktohet si një shkencë ekzakte, si, psh., matematika.

Pra, çështja është nëse mund të bësh që çdo akt i veçantë të jetë një sukses më vete. Këtë, sigurisht, mund ta bësh.

Mund të bësh që çdo akt të jetë një sukses, sepse e GJITHË FUQIA po punon për ty dhe SUPREMJA nuk mund të dështojë. Fuqia është në shërbimin tënd dhe, që ta bësh çdo akt të efektshëm, duhet veç të ushtrosh forcën tënde mbi të.

Çdo veprim që bën, është i fortë ose i dobët dhe, kur të gjitha veprimet janë të forta, po vepron në një Mënyrë të Sigurt, që do të të bëjë të pasur.

Çdo veprim mund të bëhet i fortë dhe efikas

duke mbajtur fort vizionin që ke kur bën veprimin dhe duke vënë në punë gjithë fuqinë e BESIMIT dhe QËLLIMIT mbi të.

Pikërisht këtu njerëzit dështojnë të ndajnë fuqinë mendore nga veprimi personal. Përdorin fuqinë e mendjes në një vend dhe në një kohë, duke vepruar ndryshe diku tjetër, në një tjetër kohë. Kështu, veprimet e tyre janë të pasuksesshme në vetvete dhe shumica joefikase. Por nëse GJITHË FUQIA do të shkojë në çdo akt, sado të zakonshëm, çdo veprim do të jetë një sukses më vete dhe siç është natyra e gjërave, çdo sukses hap rrugën për suksese të tjera. Do përparosh drejt asaj që dëshiron dhe ajo që dëshiron do vijë drejt teje me një hap më të shpejtë.

Mos harro se veprimi i suksesshëm është kumulativ në rezultate. Meqenëse dëshira për më shumë jetë është e natyrshme tek të gjitha gjërat, kur dikush nis të lëvizë drejt një jete më të madhe, më shumë gjëra i bashkëngjiten dhe ndikimi i dëshirës së tij shumëfishohet.

Bëj çdo ditë gjithçka që mund të bësh atë ditë dhe çdo veprim në një mënyrë efikase.

Kur them se duhet të mbash në mendje vizionin kur bën çdo veprim, sado i parëndësishëm apo i zakonshëm, nuk dua të them se është e nevojshme që në çdo kohë të shohësh qartë imazhin e asaj që do, deri në detajet më të vogla. Vetëm gjatë kohës së lirë mund të përdorësh imagjinatën të detajosh me hollësi vizionin dhe t'i mendosh derisa të nguliten fort në kujtesë. Nëse dëshiron rezultate të shpejta, kalo gjithë kohën e lirë duke e praktikuar këtë.

Nga përsiatja e vazhdueshme do të bësh që pamja e asaj që dëshiron, deri në detajet më të imta, të fiksohen fort në mendje dhe të projektohen hollësisht në mendjen e Substancës së Paformë, saqë në orët e punës duhet veç t'i referohesh imazhit që të stimulosh besimin dhe qëllimin dhe të bësh që përpjekjet e tua të kenë rezultat. Detajo në mendje imazhin e asaj që do në kohën e lirë, derisa imagjinata të mbushet me të, aq sa të mund ta "kapësh me dorë". Do të entuziazmohesh aq shumë me premtimet e saj të ndritshme, saqë thjesht mendimi për të do të sjellë në pah energjitë e tua më të forta. Ta përsërisim përkufizimin tonë, duke ndryshuar pak fjalinë përfundimtare, që ta sjellim në pikën që kemi arritur tani.

Ekziston një Substancë Menduese, nga e cila është bërë gjithçka dhe që në gjendjen e saj origjinale hyn, depërton dhe mbush ndërhapësirat e universit. Një mendim, në këtë substancë, prodhon sendin që është imagjinuar nga mendimi.

Njeriu mund të krijojë gjëra në mendimet e veta dhe, duke i projektuar mendimet mbi Substancën e Paformë, mund të bëjë të krijohet gjëja për të cilën mendon. Që ta bëjë këtë, njeriu duhet të kalojë nga mentaliteti konkurrues në atë krijues. Duhet të formojë një imazh të qartë mendor të gjërave që dëshiron të bëjë, me besim dhe qëllim, gjithçka që mund të bëhet çdo ditë, duke bërë çdo gjë të veçantë me efikasitet.

## KREU 13
## HYRJA NË BIZNESIN E DUHUR

**S**UKSESI, në çdo biznes të veçantë, varet tepër nga njohuritë e tua dhe aftësitë e kërkuara në atë biznes.

Pa aftësi të mira muzikore, askush nuk mund të jetë mësues i mirë i muzikës. Pa njohuri të mira në mekanikë, askush nuk mund të arrijë ndonjë sukses të madh në zanatet mekanike. Pa takt dhe aftësi tregtare, askush nuk mund të ketë sukses në tregti. Por, zotërimi i aftësive të zhvilluara në një profesionin të veçantë nuk të siguron pasurimin. Ka muzikantë me talent të jashtëzakonshëm, që mbeten të varfër. Ka farkëtarë, marangozë e kështu me radhë, që kanë aftësi të shkëlqyera mekanike, por që nuk pasurohen, si dhe ka tregtarë me aftësi të mira për t'u marrë vesh me njerëzit që dështojnë. Aftësitë e ndryshme janë mjete; është thelbësore të kesh mjete të mira, por është gjithashtu thelbësore që këto të përdoren në Mënyrën e duhur. Dikush mund të marrë një sharrë të mprehtë, një skuadër, ca dërrasa të mira etj. dhe të ndërtojë një mobilie të mrekullueshme, ndërsa një tjetër mund të ketë të njëjtat mjete dhe të vendosë të punojë për të kopjuar artikullin e të parit; prodhimi i tij do të jetë thjesht një copëz, një kopje, sepse nuk di t'i përdorë mjetet e mira në një mënyrë të suksesshme.

Aftësitë e tua mendore janë mjetet me të cilat duhet të bësh punën që të bëhesh i pasur; do të jetë më lehtë për ty të kesh sukses nëse hyn në një biznes, për të cilin ke eksperiencën dhe dijet e duhura.

Në përgjithësi, do bësh më të mirën në atë biznes ku mund të përdorësh aftësitë e tua më të forta apo në atë ku e gjen veten më natyrshëm. Por edhe kjo deklaratë ka kufizimet e veta. Askush nuk duhet ta konsiderojë talentin e tij profesional si të fiksuar në mënyrë të pakthyeshme, sikur të ketë lindur për të.

Mund të pasurohesh me ÇDO biznes, sepse, nëse nuk ke talentin e duhur, mund ta zhvillosh. Kjo thjesht do të thotë se do duhet të mësosh dije të reja rrugës, në vend që të kufizohesh në përdorimin e atyre me të cilat ke lindur. Do të jetë më e lehtë për ty të kesh sukses në një profesion për të cilin ke një talent të zhvilluar mirë, por ama MUND të kesh sukses në çdo profesion, sepse mund të zhvillosh çdo talent rudimentar dhe nuk ka fushë në të cilën nuk ke të paktën një prirje bazike.

Do pasurohesh më lehtë e me më pak përpjekje nëse bën atë për të cilën je më i përshtatshëm, por do të pasurohesh më kënaqshëm nëse bën atë që të pëlqen të bësh.

Të bësh atë që dëshiron të bësh, është më se e natyrshme dhe nuk ka kënaqësi të vërtetë në të jetuarit me detyrimin për të bërë përgjithmonë diçka që nuk na pëlqen, me pamundësinë të bëjmë atë që duam të bëjmë. Është e sigurt që mund të bësh atë që dëshiron dhe dëshira që ta bësh është provë se ke brenda vetes fuqinë me të cilën mund ta bësh. Dëshira është manifestim i fuqisë.

Dëshira të luash muzikë është fuqia që mund të luajë muzikën duke kërkuar shprehje më të madhe dhe zhvillim. Dëshira për të shpikur pajisje mekanike është talenti mekanik që kërkon shprehjen dhe zhvillimin.

Kur nuk ka fuqi, të zhvilluar apo të pazhvilluar, për të bërë diçka, nuk ka kurrë vërtet dëshirë për ta bërë dhe ku ka dëshirë të fortë për të bërë një gjë, është e sigurt se fuqia për ta bërë është e fortë dhe kërkon vetëm të zhvillohet dhe zbatohet në Mënyrën e Sigurt.

Duke qenë se çdo sugjerim tjetër është i barasvlershëm, është më mirë të zgjedhësh biznesin për të cilin ke një talent të mirë e të zhvilluar, por nëse ke një dëshirë të fortë për t'u përfshirë në ndonjë linjë të veçantë pune, duhet të zgjedhësh këtë të fundit si qëllimin përfundimtar në të cilin synon.

Mund të bësh atë që dëshiron të bësh dhe është e drejta dhe privilegji yt të ndjekësh biznesin apo vokacionin më të përshtatshëm dhe të këndshëm për ty.

Nuk je i detyruar të bësh atë që nuk të pëlqen dhe nuk duhet ta bësh, përveçse si një mjet që do të të ndihmojë në kryerjen e gjërave që dëshiron të bësh.

Nëse ke bërë gabime në të shkuarën, pasojat e të cilave të kanë vendosur në një biznes apo mjedis të padëshirueshëm, mund të jesh i detyruar për ca kohë të bësh atë që nuk të pëlqen, por mund ta bësh me kënaqësi, me dijen se po të bën të mundur të afrosh realizimin e asaj që dëshiron të bësh.

Nëse mendon se nuk je në profesionin e duhur, mos vepro me ngut në përpjekjen për të hyrë në një tjetër. Mënyra më e mirë, përgjithësisht, për të ndryshuar biznesin ose mjedisin është rritja.

Mos ki frikë të bësh një ndryshim të papritur dhe rrënjësor nëse të paraqitet mundësia dhe pas shqyrtimit të kujdesshëm ke arritur në konkluzionin se është mundësia e duhur, por mos ndërmerr kurrë veprime të papritura ose radikale kur dyshon në urtësinë e veprimit.

Nuk ka asnjëherë ngutje në planin krijues dhe nuk mungojnë mundësitë.

Kur të dalësh nga mentaliteti konkurrues do të kuptosh se nuk ke nevojë të veprosh me ngut. Askush tjetër nuk do të të mundë në gjërat që dëshiron të bësh; ka boll për të gjithë. Nëse një hapësirë biznesi zihet, një tjetër edhe më e mirë do të hapet për ty pak më tutje; mos u nxito, ka kohë. Kur ke dyshime, prit. Tërhiqu dhe mendo për vizionit tënd, rrit besimin dhe këmbënguljen dhe, sidomos në kohë dyshimi dhe pavendosmërie, kultivo mirënjohjen.

Një ditë a dy, kaluar në imagjinatën e vizionit të asaj që dëshiron dhe falënderimeve të sinqerta që po e merr, do të ta sjellin mendjen në një marrëdhënie kaq të ngushtë me Supremen, saqë nuk do të bësh asnjë gabim kur të veprosh.

Ekziston një mendje që di gjithçka, me të cilën mund të jesh në një unitet të ngushtë me anë të besimit dhe qëllimit për të përparuar në jetë, nëse mirënjohjen e ke të thellë.

Gabimet ndodhin nga ngutja ose nga të vepruarit me frikë e dyshim, në harresë të Motivit të Drejtë, që është: më shumë jetë për të gjithë dhe më pak për askënd.

Kur të ecësh para në një Mënyrë të Sigurt, mundësitë sa do vijnë e do shtohen. Të duhet të jesh i fortë e i qëndrueshëm në besim dhe qëllim e të mbash lidhje të ngushta me Mendjen e Gjithësisë, me mirënjohje të thellë. Bëj gjithë sa mund të bësh me përsosmëri, çdo ditë, por ama pa nxitim, shqetësim apo frikë. Ec sa më shpejt të mundesh, por kurrë mos u nxito.

Mos harro se në çastin që fillon të nxitosh, pushon së qeni krijues dhe bëhesh konkurrues; bie përsëri në mentalitetin e vjetër.

Kur e sheh se po ngutesh, ndalo dhe drejto vëmendjen tek imazhi mendor i asaj që dëshiron dhe falëndero përsëri që po e merr.

Ushtrimi i Mirënjohjes nuk do dështojë kurrë të

të forcojë besimin dhe të rinovojë qëllimin.

## KREU 14
## RRITJA

**E**dhe nëse ndryshon profesionin apo jo, veprimet e tua për momentin duhet të jenë të drejta për biznesin në të cilin je i angazhuar.

Mund të hysh në biznesin që dëshiron duke përdorur konstruktivisht biznesin në të cilin je, duke punuar përditë në një Mënyrë të Sigurt. Dhe për sa i përket marrëdhënieve të biznesit me të tjerët, qoftë personalisht ose me shkrim, mendimi kryesor i të gjitha përpjekjeve të tua duhet të jetë t'u përcjellësh në mendje përshtypjen e rritjes.

Rritja është ajo që kërkojnë të gjithë, burra e gra; është dëshira e Inteligjencës së Paformë brenda tyre, që kërkon shprehje më të plotë.

Dëshira për rritje është e natyrshme kudo; është impulsi themelor i universit. Të gjitha aktivitetet njerëzore bazohen në dëshirën për rritje; njerëzit kërkojnë më shumë ushqim, rroba, shtëpi më të mirë, më shumë luks e bukuri, më shumë dije dhe kënaqësi: rritje në diçka për më shumë jetë.

Çdo gjallesë e ka nevojën për përparim të vazhdueshëm; ku pushon rritja e jetës vjen shpërbërja dhe vdekja.

Njeriu e di këtë instinktivisht, ndaj dhe kërkon

gjithnjë e më shumë. Ky ligj i rritjes së përhershme tregohet nga Jezusi kur flet për talentet: "Vetëm ata që fitojnë më shumë mbajnë diçka; atij që nuk ka, do t'i merret edhe ajo pak që ka.".

Dëshira normale për pasuri nuk është e keqe ose e dënueshme, është thjesht dëshira për një jetë më të bollshme e me aspirata.

Pra, për shkak se është një instinkt i thellë i natyrës së njeriut, gjithkush tërhiqet nga ai që mund t'u japë më shumë mjete jetese.

Duke ndjekur Rrugën e Caktuar siç përshkruhet në faqet e mësipërme, po merr rritje të vazhdueshme për veten dhe po ua jep të gjithë atyre me të cilët ke të bësh. Tani je një qendër krijuese, nga e cila rritja u jepet të gjithëve.

Ji i sigurt për këtë dhe përcille këtë siguri te çdo burrë, grua apo fëmijë, me të cilët je në kontakt. Pavarësisht se sa i vogël është transaksioni, edhe nëse po i shet veç një kallam sheqeri një fëmije, fut në të mendimin e rritjes dhe sigurohu që te klienti është projektuar ky mendim.

Përcill imazhin e përparimit në gjithçka që bën, që të gjithë të krijojnë përshtypjen se je një Njeri i Avancuar dhe se i përparon të gjithë ata me të cilët ke marrëdhënie. Edhe me njerëzit që takon shoqërisht, pa ndonjë qëllim biznesi e që nuk po u shet asgjë, përpiqu t'u japësh mendimin e rritjes.

Mund ta përcjellësh këtë përshtypje duke ruajtur besimin e palëkundur se ti vetë je në Rrugën e Rritjes; të bësh që ky besim të frymëzojë, mbushë e përshkojë çdo veprim tëndin.

Bëj gjithçka me bindjen e vendosur se je një personalitet që përparon dhe se po i jep përparim edhe të tjerëve.

Ndjeje se po pasurohesh dhe se duke bërë këtë po pasuron dhe të tjerët, me përfitim për të gjithë. Mos u mburr ose shit mend me suksesin dhe mos fol për të pa nevojë; besimi i vërtetë nuk do mburrje.

Kudo që gjen një mburravec, gjen dikë që në fshehtësi ka dyshime e trembet. Thjesht ndjeje besimin dhe lëre të funksionojë në çdo transaksion. Bëj që çdo akt, fjalë dhe vështrim të shprehë sigurinë e qetë se po bëhesh i pasur; se je tashmë i pasur. Fjalët do të jenë të panevojshme për t'ua komunikuar këtë ndjenjë të tjerëve, sepse do të ndiejnë sensin e rritjes në praninë tënde dhe do të tërhiqen përsëri drejt teje.

Duhet t'u bësh aq përshtypje të tjerëve sa që ata të ndiejnë se në shoqërinë tënde rriten edhe vetë. Sigurohu që u jep një vlerë përdorimi më të lartë se vlera e parave që po merr prej tyre.

Bëje këtë me krenari të sinqertë, që ta kuptojnë të gjithë dhe nuk do të kesh më mungesë klientele. Njerëzit shkojnë aty ku u jepet rritje dhe Supremja, që dëshiron rritje në gjithçka dhe që i di të gjitha, do të shtyjë drejt teje burra dhe gra që nuk kanë dëgjuar kurrë për ty. Biznesi yt do rritet me shpejtësi dhe do befasohesh me përfitimet e papritura që do të vijnë. Do jesh në gjendje, nga dita në ditë, të bësh kombinime më të mëdha, të sigurosh përparësi më të mëdha dhe të vazhdosh me një profesion më të përshtatshëm, nëse dëshiron diçka të tillë. Tek bën të gjitha këto, kurrë nuk duhet të heqësh vëmendjen nga vizionin yt për atë që dëshiron ose nga besimi dhe qëllimi për të marrë atë që do. Më lejo këtu të të jap edhe një paralajmërim në lidhje me motivet. Bëj kujdes nga tundimi tinëzar për të pasur pushtet mbi të tjerët.

Nuk ka asgjë aq tunduese për mendjen e paformuar apo pjesërisht të zhvilluar sa ushtrimi i pushtetit apo sundimit mbi të tjerët. Dëshira për të sunduar me kënaqësi egoiste është mallkimi i kësaj bote. Për shekuj të panumërt, mbretër dhe sundimtarë kanë zhytur tokën në gjak, në betejat për të zmadhuar sundimin dhe kjo jo për të kërkuar më shumë jetë për të gjithë, por për të marrë më shumë pushtet për vete.

Sot, motivi kryesor në botën e biznesit dhe industrisë është po i njëjti: njerëzit marshojnë ushtritë e tyre të dollarëve dhe shkatërrojnë jetën e zemrat e milionave, në të njëjtën grindje të çmendur për pushtet mbi të tjerët. Mbretërit tregtarë, si mbretërit politikë, frymëzohen veç nga epshi për pushtet. Jezusi pa në këtë dëshirë për pushtet impulsin lëvizës të kësaj bote të keqe, që Ai kërkoi ta rrëzonte. Lexo vargun e njëzet e tretë të Mateut dhe shiko se si Jezusi paraqet dëshirën epshore të farisenjve që të quhen "Zotër", të ulen në vende të larta, të sundojnë të tjerët dhe të rëndojnë barrën në kurrizin e të pafatëve. Vër re se si e krahason këtë epsh për sundim me përpjekjet vëllazërore për të Mirën e Përbashkët, për të cilën këshillon dishepujt e Tij.

Kujdes me tundimin e dëshirës për autoritet, për t'u bërë "Zot" e për t'u konsideruar si dikush që është mbi njerëzit e zakonshëm, duke u bërë përshtypje të tjerëve me shfaqje ekstravagante e të tjera si këto.

Mendja që kërkon pushtet mbi të tjerët është mendje konkurruese dhe, si e tillë, nuk është krijuese. Që të zotërosh mjedisin dhe fatin tënd nuk është aspak e nevojshme të sundosh mbi të tjerët. Kur zhytesh në luftën e botës për vende të larta, nis të pushtohesh nga fati e mjedisi dhe pasurimi yt bëhet një çështje rastësie e spekulimesh. Kujdes nga mendja konkurruese! Asnjë deklaratë më e mirë për parimin e veprimit krijues nuk mund të formulohet sesa thënia e preferuar e "Rregullit të Artë" të të ndjerit Jones të Toledos: "Atë që dua për vete, e dua për të gjithë".

## KREU 15
## NJERIU QË PËRPARON

Ç farë thamë në kapitullin e fundit vlen si për njeriun profesionist dhe rrogëtarin, ashtu edhe për tregtarin.

Kushdo qofsh, mjek, mësues apo klerik, nëse

mund t'u japësh jetë të tjerëve dhe t'i bësh të ndjeshëm për faktet që flasim, ata do të tërhiqen më shumë dhe ti do bëhesh i pasur. Mjeku që mban vizionin e vetvetes si një shërues i madh e i suksesshëm dhe që punon drejt realizimit të plotë të këtij vizioni, me besim dhe qëllim, siç përshkruhet në kapitujt e mëparshëm, do të jetë në një kontakt kaq të ngushtë me Burimin e Jetës sa që do të të bëhet tepër i suksesshëm dhe pacientët do t'i vijnë me turma.

Askush nuk ka një mundësi më të madhe të vërë në praktikë mësimet e këtij libri sesa praktikuesi i mjekësisë. Pak rëndësi ka se cilës shkollë i përket, sepse parimi i shërimit është i përbashkët për të gjithë dhe mund të arrihet nga të gjithë njësoj. Njeriu i Avancuar në mjekësi, që mban një imazh të qartë mendor për veten si të suksesshëm dhe që i bindet ligjeve të besimit, qëllimit dhe mirënjohjes, do të shërojë çdo rast të shërueshëm që ndërmerr, pa marrë parasysh se çfarë mjetesh mund të përdorë.

Në fushën e fesë, botës i mungojnë klerikët që mund t'u mësojë dëgjuesve të tyre shkencën e vërtetë të jetës së bollshme. Ai që zotëron detajet e shkencës së pasurimit, së bashku me shkencat aleate të të qenit mirë, të të qenit i madh dhe se si të fitosh dashurinë, që i mëson këto detaje nga foltorja e tij, nuk do e ketë kurrë bosh tempullin ku shërben. Ky është ungjilli për të cilin bota ka nevojë, që do i japë rritje jetës dhe njerëzit do ta dëgjojnë me kënaqësi e do t'i japin mbështetje njeriut që po ia sjell.

Tani duhet një demonstrim i shkencës së jetës nga foltorja. Duam predikues që jo vetëm të na thonë se si, por që me shembullin personal të na tregojnë në praktikë. Kemi nevojë për predikuesin që është vetë i pasur, i shëndetshëm, i madh dhe i dashur, që të na mësojë se si t'i arrijmë këto gjëra. Me këto cilësi, një i tillë do gjejë plot ndjekës besnikë.

E njëjta gjë është e vërtetë edhe për mësuesin, që mund t'i frymëzojë fëmijët me besimin dhe qëllimin e jetës që përparon. Ky nuk do të jetë kurrë i "papunë". Çdo mësues që ka këtë besim dhe qëllim mund t'ua japë edhe nxënësve të tij. Këtë nuk e shmang dot, sepse është pjesë e jetës dhe praktikës së vet.

Ç'është e vërtetë për mësuesin, predikuesin dhe mjekun, është e vërtetë edhe për avokatin, dentistin, agjentin imobiliar apo atë të sigurimeve, pra për të gjithë.

Veprimi i kombinuar mendor dhe personal, që përshkruam më sipër, është i pagabueshëm dhe s'mund të dështojë. Çdo burrë apo grua që ndjek këto udhëzime, në mënyrë të qëndrueshme, me këmbëngulje të përpiktë, do pasurohet. Ligji i Rritjes së Jetës është po aq matematikisht i qartë në funksionimin e tij sa edhe ligji i gravitetit; pasurimi është një shkencë ekzakte.

Por edhe punëmarrësi do ta gjejë këtë parim të vërtetë edhe për rastin e vet, ashtu si për cilindo që përmendëm, nga të tjerët. Mos mendo se nuk ke asnjë shans të pasurohesh, sepse po punon aty ku nuk ka mundësi të dukshme për përparim, ku pagat janë të vogla dhe kostoja e jetesës është e lartë. Formo vizionin tënd të qartë mendor të asaj që dëshiron dhe fillo e vepro me besim dhe qëllim.

Bëj gjithë sa mund të bësh, çdo ditë. Bëj çdo pjesë të punës në një mënyrë krejtësisht të suksesshme dhe vendos fuqinë e suksesit dhe qëllimin e pasurimit në gjithçka që bën.

Por mos e bëj këtë thjesht me idenë e të rënit në sy të mirë te punëdhënësi, me shpresën se ky ose ata që janë mbi ty do ta shohin punën tënde të mirë dhe do të të avancojnë. Ka pak të ngjarë të ndodhë kjo.

Njeriu që është thjesht "punëtor i mirë", që bën punën në maksimum të aftësive të veta dhe ndihet i kënaqur me këtë, është i vlefshëm për punëdhënësin, ndaj nuk është në interesin e tij ta promovojë, sepse ky punëtor vlen më shumë aty ku është.

Që të sigurosh përparim, është e nevojshme diçka më shumë sesa të jesh më i madh profesionalisht për vendin e punës.

I sigurt se do të përparojë është ai që është shumë i madh për vendin e tij dhe që ka një koncept të qartë të asaj që dëshiron të bëhet; ai që e di se mund të bëhet ashtu siç dëshiron dhe është i vendosur të shkojë atje ku dëshiron të jetë.

Mos u përpiq të plotësosh vendin tënd të

*90*

tanishëm me qëllim që të kënaqësh punëdhënësin; bëje me idenë e avancimit personal. Mbaj besimin dhe qëllimin e rritjes gjatë orëve të punës, pas orëve të punës dhe para orëve të punës. Mbaji në një mënyrë të tillë që çdo person që bie në kontakt me ty, qoftë shefi, bashkëpunëtori apo një i njohur shoqëror, të ndiejë fuqinë e qëllimit që rrezaton nga ti dhe që çdokush të marrë ndjenjën e përparimit dhe të rritjes prej teje. Njerëzit do të tërhiqen nga ti dhe, nëse nuk ka mundësi për avancim në punën e tanishme, shumë shpejt do të shohësh një mundësi për një punë tjetër.

Ekziston një Fuqi, që kurrë nuk dështon t'i paraqesë mundësi Njeriut që Avancon e që vepron në bindje të ligjit.

Zoti nuk mund të mos ndihmojë nëse ti vepron në një Mënyrë të Sigurt; Ai duhet ta bëjë që të ndihmojë veten. Nuk ka arsye në rrethanat e tua personale apo të biznesit që mund të të mbajë poshtë. Nëse nuk pasurohesh dot duke punuar për një uzinë çeliku, mund të pasurohesh në një fermë me pak hektarë. Nëse fillon të lëvizësh në një Mënyrë të Sigurt, me siguri do të shpëtosh nga "kthetrat" e bosëve të çelikut dhe do të shkosh në fermë apo kudo që dëshiron të jesh.

Nëse mijëra punonjës do të hynin në Rrugën e Sigurt, fabrika e çelikut shpejt do të gjendej mes problemesh dhe do i duhej t'u jepte më shumë mundësi punëtorëve të saj, ndryshe do falimentonte. Askush nuk është i detyruar të punojë diku; pronarët mund t'i mbajnë punonjësit në të ashtuquajturat kushte të pashpresa veç për sa kohë këta ngelen injorantë në dijen e Shkencës së Pasurimit ose tepër dembelë intelektualisht për ta praktikuar.

Fillo të mendosh dhe veprosh në këtë mënyrë dhe besimi e qëllimi do të të bëjë shpejt të shohësh çdo mundësi për të përmirësuar gjendjen ku je.

Mundësi të tilla do të vijnë me shpejtësi, sepse Supremja, që punon në Gjithçka, edhe për ty, do të t'i sjellë para.

Mos prit për një mundësi ku të jesh plotësisht ai që dëshiron; kur paraqitet një mundësi, ku mund të jesh më shumë sesa tani dhe ndjen shtytjen drejt saj, shfrytëzoje. Do të jetë hapi i parë drejt një mundësie më të madhe. Këtij universi nuk i mungojnë aspak mundësitë për njeriun që jeton për të përparuar.

Është e natyrshme në mënyrën si është krijuar gjithësia, që gjithçka të jetë për të dhe të punojë për të mirën e tij. Ai sigurisht që do pasurohet nëse vepron dhe mendon në Mënyrë të Sigurt. Ndaj lëri punëtorët e zakonshëm të studiojnë këtë libër me shumë kujdes dhe të hyjnë me besim në rrugën që përshkruan, sepse nuk do të dështojnë.

# KREU 16
# PARALAJMËRIME DHE
# VËZHGIME PËRFUNDIMTARE

Shumë njerëz do të tallen me idenë se ekziston një shkencë ekzakte e pasurimit. Me idenë se furnizimi me pasuri është i kufizuar, do insistojnë që institucionet shoqërore dhe qeveritare duhet të ndryshohen para se një numër i konsiderueshëm njerëzish të mund të edukohen.

Por kjo nuk është e vërtetë.

Është e vërtetë që qeveritë ekzistuese i mbajnë masat në varfëri, por kjo është për shkak se njerëzit nuk mendojnë dhe veprojnë në Mënyrë të Sigurt.

Nëse masat fillojnë të ecin para siç sugjerohet në këtë libër, as qeveritë dhe as sistemet industriale nuk mund t'i kontrollojnë dhe, si rezultat, të gjitha sistemet duhet të modifikohen për të akomoduar lëvizjen para.

Nëse njerëzit kanë një Mendje të Përparuar dhe Besimin se mund të Pasurohen dhe të ecin para me qëllimin këmbëngulës për t'u bërë të pasur, asgjë nuk mund t'i mbajë në varfëri.

Individët mund të hyjnë në Rrugën e Sigurt në çdo kohë e qeverisje dhe ta pasurojnë veten. Kur një numër i konsiderueshëm individësh e bëjnë këtë nën çdo qeveri, do ta detyrojnë sistemin të modifikohet aq shumë sa të hapë rrugën për të tjerët. Sa më shumë njerëz pasurohen në planin konkurrues, aq më keq për të tjerët dhe sa më shumë që bëhen të pasur në planin krijues, aq më mirë edhe për të tjerët.

Shpëtimi ekonomik i masave mund të arrihet vetëm duke bërë që një numër i madh njerëzish të praktikojnë metodën shkencore të përcaktuar në këtë libër dhe të pasurohen. Këta do u tregojnë të tjerëve rrugën dhe do t'i frymëzojnë me një dëshirë për jetë të vërtetë, me besimin se mund të arrihet dhe me qëllimin që ta arrijnë.

Megjithatë, për momentin, mjafton të dimë se as qeveria nën të cilën jeton e as sistemi kapitalist ose konkurrues i industrisë nuk mund të të ndalojnë të pasurohesh. Kur të hysh në planin krijues të mendimit, do të ngrihesh mbi të gjitha këto gjëra dhe do të bëhesh qytetar i një mbretërie tjetër.

Por mos harro se duhet t'i mbash mendimet në planin krijues; kurrë nuk duhet, as për një çast, të gënjehesh me idenë se furnizimi është i kufizuar apo të veprosh në nivelin moral të konkurrencës. Sa herë të biesh në mënyrat e vjetra të mendimit, vetëkorrigjohu menjëherë, sepse, kur je në mendjen konkurruese, humbet bashkëpunimin e Mendjes së Tërësisë.

Mos shpenzo kohë të planifikosh se si do të përballesh me emergjencat e mundshme në të ardhmen, përveç gjërave të nevojshme që mund të ndikojnë në veprimet e tua sot. Shqetësohu veç të bësh punën e sotme në një mënyrë të përkryer e të suksesshme dhe jo për emergjencat që mund të shfaqen nesër, sepse do të përballesh me to kur të vijnë. Mos u shqetëso me pyetjet se si do të kapërcesh pengesat që mund të dalin para në biznes në të ardhmen, përveç rasteve kur sheh qartë që kursi duhet të ndryshohet sot që t'i shmangësh nesër. Pavarësisht se sa e jashtëzakonshme të shfaqet një pengesë nga larg, do të zbulosh se, nëse vazhdon me Mënyrën e Sigurt, do të zhduket kur t'i afrohesh ose se do të shfaqet një rrugëdalje a anashkalim.

Asnjë kombinim i mundshëm rrethanash nuk mund të mposhtë një burrë apo grua në rrugën e pasurimit në përputhje me linjat rreptësisht shkencore. Askush që i bindet ligjit nuk mund të mos pasurohet, aq sa nuk mund të shumëzosh dy herë dy pa nxjerrë dot katër.

Mos u shqetëso për katastrofat, pengesat, panikun ose kombinimet e pafavorshme të rrethanave të mundshme; ka kohë të mjaftueshme të përballosh gjëra të tilla kur të paraqiten në të tashmen e menjëhershme. Do të zbulosh se çdo vështirësi mbart me vete mundësinë e kapërcimit.

Kujdes se si flet. Asnjëherë mos fol për veten, çështjet e tua e gjithçka tjetër në një mënyrë dekurajuese.

Asnjëherë mos prano mundësinë e dështimit dhe mos fol kurrë në një mënyrë që nënkupton dështimin si mundësi.

Asnjëherë mos fol se kohët janë të vështira ose për kushtet e biznesit si të dyshimta. Kohët mund të jenë të vështira dhe suksesi i dyshimtë për ata që janë në planin konkurrues; këto nuk mund të jenë të tilla për ty që mund të krijosh atë që dëshiron e që je mbi frikën.

Kur të tjerët të kalojnë periudha të vështira dhe biznes të varfër, ti do të gjesh mundësi edhe më të mëdha.

Mësoje veten të mendosh e ta shohësh botën si diçka që po bëhet, po rritet dhe ta konsiderosh të keqen në dukje veç si diçka të pazhvilluar. Fol gjithnjë me idenë e përparimit, sepse, po të mos e bësh, do të thotë se po mohon besimin dhe të mohosh besimin do të thotë ta humbasësh.

Mos lejo kurrë të ndihesh i zhgënjyer. Mund të presësh të kesh diçka specifike në një kohë të caktuar, por nuk e merr dot; kjo do të të duket si dështim, por, nëse i përmbahesh besimit, do zbulosh se dështimi është veç në dukje.

Vazhdo në Rrugën e Sigurt dhe, nëse nuk e merr dot atë gjë, do marrësh diçka shumë më të mirë dhe do të shohësh se dështimi në dukje ishte me të vërtetë një sukses i madh.

Një student i kësaj shkence kishte vendosur të bënte një kombinim biznesi, që në atë kohë iu duk se do ishte shumë i dëshirueshëm dhe punoi për ca javë ta ndërtonte. Kur erdhi koha të realizohej, gjithçka dështoi në mënyrë krejtësisht të pashpjegueshme. U duk sikur një ndikim i padukshëm kishte punuar fshehurazi kundër tij. Nuk u zhgënjye, përkundrazi, falënderoi Zotin që dëshira e tij qe përmbysur dhe vazhdoi me një mendje mirënjohëse. Pas disa javësh i doli një mundësi shumë më e mirë, saqë, po ta dinte, nuk do ta kishte bërë marrëveshjen e parë. Pa se Mendja që dinte më shumë sesa ai e kish penguar të humbte të mirën më të madhe tek ngatërrohej me më të voglën.

Kjo është mënyra se si do të funksionojë çdo dështim i dukshëm për ty nëse mban besimin, qëndron në qëllimin që ke me mirënjohje dhe bën çdo ditë gjithçka që mund të bësh dhe çdo veprim të veçantë e kryen në një mënyrë të suksesshme. Kur dështon, kjo ndodh se nuk ke kërkuar aq sa duhet; vazhdo më tej dhe, një gjë më e madhe sesa ajo që kërkove, do të të vijë me siguri. Mbaje mend mirë këtë. Nuk do dështosh se të mungon talenti i nevojshëm për të bërë atë që dëshiron të arrish. Nëse vazhdon siç kam shpjeguar, do zhvillosh gjithë talentin e nevojshëm për të bërë punën.

Shkenca e kultivimit të talentit nuk është brenda qëllimit të këtij libri, por edhe ajo është po aq e sigurt dhe e thjeshtë sa procesi i pasurimit.

Sidoqoftë, mos hezito dhe mos u lëkund me frikën se kur të jesh para ndonjë sfide do dështosh për mungesë aftësie. Vazhdo punën dhe kur të të duhet aftësia do të të jepet. I njëjti burim i Aftësisë që i dha dije Linkolnit të paedukuar të ketë arritjet më të mëdha në qeveri, nga një njeri i vetëm, është i hapur edhe për ty. Mund të marrësh dije nga e gjithë mençuria rreth teje e ta përdorësh në përmbushjen e përgjegjësive që të janë ngarkuar. Vazhdo me besim të plotë.

Studioje mirë këtë libër. Bëje shoqëruesin tënd të pandarë, derisa t'i përvetësosh të gjitha idetë që jepen në të. Kur përpiqesh të forcosh këtë besim, do bësh mirë të heqësh dorë nga shumica e argëtimeve dhe kënaqësive e të qëndrosh larg vendeve dhe predikimeve që të sjellin kundërshti. Mos lexo literaturë pesimiste ose konfliktuale dhe mos hyr në diskutime për këtë çështje. Mos lexo shumë jashtë shkrimtarëve të përmendur në Parathënie. Kalo pjesën më të madhe të kohës së lirë në përsiatjen e vizionit tënd, në kultivimin e mirënjohjes dhe në leximin e këtij libri. Këtu përmbahen gjithë sa duhet të dish për shkencën e pasurimit. Në kapitullin vijues do gjesh një përmbledhje të gjithë sa folëm.

## KREU 17
## PËRMBLEDHJE E SHKENCËS
## SË PASURIMIT

Ekziston një Substancë Menduese, nga e cila është bërë gjithçka dhe që, në gjendjen e saj origjinale, hyn, depërton dhe mbush ndërhapësirat e universit. Një mendim në këtë substancë prodhon sendin që është imagjinuar nga mendimi.

Njeriu mund të formojë gjëra në mendimin e

tij dhe, duke e projektuar këtë mbi Substancën e Paformë, mund të bëjë të krijohet ajo për të cilën ka menduar.

Që ta bëjë këtë, njeriu duhet të kalojë nga mentaliteti konkurrues në atë krijues, përndryshe nuk mund të jetë në harmoni me Inteligjencën e Paformë, që është gjithmonë krijuese dhe asnjëherë konkurruese në frymë.

Njeriu mund të vijë në harmoni të plotë me Substancën e Paformë duke qenë sinqerisht mirënjohës për bekimet që i janë dhënë. Mirënjohja bashkon mendjen e njeriut me inteligjencën e Substancës, në mënyrë që mendimet e tij të merren nga e Paforma. Njeriu mund të rrijë në planin krijues vetëm duke u bashkuar me Inteligjencën e Paformë përmes një ndjenje të thellë dhe të vazhdueshme mirënjohjeje.

Njeriu duhet të formojë një imazh të qartë e të mirëpërcaktuar mendor të gjërave që dëshiron të ketë, të bëjë apo të bëhet. Duhet ta mbajë këtë imazh mendor në mendime e t'i jetë thellësisht mirënjohës Supremes, që gjithë dëshirat t'i plotësohen. Njeriu, që dëshiron të pasurohet, duhet t'i kalojë orët e tij të lira në mendime për Vizionin e vet dhe falënderime serioze që po i bëhet realitet. Duhet të theksojmë rëndësinë e veçantë të mirëpërcaktimit të shpeshtë të imazhit, shoqëruar me besimin e palëkundur dhe mirënjohjen e devotshme. Ky është procesi me të cilin mendimet projektohen te e Paforma dhe forcat krijuese vihen në lëvizje.

Energjia krijuese punon përmes kanaleve të zakonshme të rritjes natyrore dhe të rendit industrial e shoqëror. Gjithë sa imagjinohet në imazhin mendor, me siguri do i vijë njeriut që ndjek udhëzimet e dhëna më lart, me besim të palëkundur. Ajo që dëshiron do i vijë përmes rrugëve të tregtisë e industrive.

Që ta marrë të Vetën kur t'i vijë, njeriu duhet të jetë aktiv dhe kjo veprimtari mund të konsistojë në plotësimin e mirë të pozicionit ku gjendet tani. Duhet të mbajë parasysh Qëllimin për t'u pasuruar përmes realizimit të imazhit të tij mendor. Duhet të bëjë çdo ditë gjithçka që mund të bëhet atë ditë, me kujdesin që çdo veprim të kryhet me sukses të plotë. Duhet t'i japë gjithkujt një vlerë përdorimi më të madhe se vlera e parave që merr, që çdo transaksion të sjellë më shumë jetë; njëkohësisht me Mendimin e Përparimit në mendje, që përshtypja e rritjes t'u komunikohet të gjithëve me të cilët ai bie në kontakt.

Burrat dhe gratë, që do praktikojnë udhëzimet e mësipërme, do të pasurohen patjetër. Pasuritë që do marrin, do të jenë në përpjesëtim të drejtë me përcaktimin e vizionit të tyre, qëndrueshmërinë e qëllimit, forcën e patundur të besimit dhe thellësinë e mirënjohjes.

9 789928 324207